P9-DEM-219

WIMPY KID SERİSİ

1. Saftirik Greg'in Günlüğü
2. Rodrick Kuralları
3. Türünün Son Örneği
4. İşte Şimdi Yandık!
5. Ama Bu Haksızlık!
6. Panik Yok!
7. Ah Kalbim!
8. Batsın Bu Dünya!
9. Bende Bu Şans Varken!
10. Hey Gidi Günler!
11. Karışık İşler Bunlar!
12. Tam Bir Felaket!

DİĞER WIMPY KID KİTAPLARI

Saftirik Greg'in Günlüğü: Kendin Yap Kitabı

Saftirik Film Günlüğü

Saftirik Film Günlüğü: Bende Bu Şans Varken

Wimpy Kid
SAFTİRİK
GREG'İN GÜNLÜĞÜ
TAM BİR FELAKET!
Jeff Kinney
epsilon®

SAFTİRİK GREG'İN GÜNLÜĞÜ
TAM BİR FELAKET!

Orijinal Adı: *Diary Of a Wimpy Kid / The Getaway*
Jeff Kinney
Çeviri: Kenan Özgür

Yayın Yönetmeni: Aslı Tunç
Kapak Uygulama: Berna Özbek Keleş
Sayfa Uygulama: Gülen Işık

10. Baskı: Ocak 2019
ISBN: 978-605-173-317-3

Kitap Tasarım: Jeff Kinney
Kapak Tasarım: Chad W. Beckerman ve Jeff Kinney
İngilizce ilk baskı: 2017 (Amulet Books - Imprint of Abrams)

Baskı ve Cilt:
Mega Basım Yayın San. ve Tic. A.Ş.
Cihangir Mah., Güvercin Cad., No: 3/1
Baha İş Merkezi, A-Blok, Kat: 2
34310 Haramidere/İstanbul
Tel: (212) 412 17 00
Sertifika No: 12026

Yayımlayan:
Epsilon Yayınevi Ticaret ve Sanayi A.Ş.
Osmanlı Sok., No: 18/4-5 Taksim/İstanbul
Tel: (212) 252 38 21 Faks: (212) 252 63 98
İnternet Adresi: www.epsilonyayinevi.com
e-posta: epsilon@epsilonyayinevi.com
Sertifika No: 34590

ANNIE'YE

ARALIK

Pazar

Birinin size tatilinden söz etmesinin en kötü tarafı, onun adına MUTLU olmuşsunuz gibi davranmak zorunda kalmaktır. Çünkü kimse kendisinin YAŞAMADIĞI eğlenceleri dinlemek istemez.

Ben sadece bir şeylerin TERS gittiği tatilleri dinlemeyi severim. Böylece çok şey kaçırdığımı düşünüp kendimi kötü hissetmem.

Biz de ailece tatilden yeni döndük ve inanın bana ELİMDE OLSA evde kalmayı tercih ederdim. Ama seçme şansım yoktu.

Birkaç hafta önce, bu tatil hiç HESAPTA yoktu. Sıradan bir Aralık ayı yaşıyorduk ve ben de Noel'i her zamanki gibi dört gözle bekliyordum.

Ancak annemle babam, Noel hazırlıkları ile ilgili yapmamız gereken şeyler yüzünden çok gergindiler. Daha evi bile süslememiştik ve hiçbir şey olması gerektiği gibi gitmiyordu.

Ben Noel'e kadar bütün hazırlıkların tamamlanacağından emindim. Ancak bir akşam televizyonda bir reklam yayınlandı ve Noel planlarımızı TAMAMEN altüst etti.

Mercan Adası diye bir yerin reklamıydı bu; annemle babam balayında oraya gitmişler. Bunu biliyorum çünkü ne zaman televizyonda bu reklamı izleseler, ikisinin içinden öpüşmek geliyor.

Annemle babamın biz doğmadan önceki hayatını düşünmekten hiç hoşlanmıyorum. Annem her evlilik yıldönümünde balayı albümünü ortaya çıkarmasa, düşünmek ZORUNDA kalmazdım.

Reklam yayınlandıktan bir gece sonra, annemle babam bize bir haber verdiler. BU yıl Noel'i burada kutlamayacağımızı, bunun yerine hep birlikte Mercan Adası'na gideceğimizi söylediler.

Hediyelerimizi tatile nasıl götüreceğimizi sordum. Annem de hediyemizin bu tatil OLDUĞUNU söyledi.

Bunun ÇOK KÖTÜ bir fikir olduğunu düşündüm ve babamın buna razı olmasına şaşırdım. Kendisi para harcamayı sevmez pek ve ben bu tatilin bir SERVETE malolacağından emindim. Babam soğuk havadan bıktığını, sıcak bir yerlere kaçmak istediğini söyledi.

Şahsen benim soğuk havayla bir sorunum yok. Hatta, genel olarak konuşmak gerekirse, dışarısı ne kadar kötü olursa, ben o kadar mutlu oluyorum.

Rodrick ve Manny'nin, anne ve babamla mantıklı bir konuşma yapıp onları bu fikirden vazgeçirmeme yardımcı olacaklarını düşündüm. Ama kendileri bana HİÇ de destek olmadılar.

Böylece evde normal bir Noel geçiremeyeceğimizi kabullenmek zorunda kaldım. Ancak işin en sevmediğim tarafı, adaya UÇAKLA gidecek olmamızdı. Daha önce hiç UÇAĞA binmemiştim ve kendimi metal bir tüpün içine kilitleme fikrine pek de bayılmıyordum.

Ancak benim dışımda KİMSE endişeli değil gibiydi. İki hafta sonra, çoraplarımızı asıp ateşin başında Noel filmleri izlememiz gereken bir gecede, ada tatili için bavullarımızı topluyorduk.

Pazartesi

Noel sabahı saat sekizde evden çıktık. Babamın cinleri tepesindeydi çünkü bir saat ERKEN çıkmak istemişti; ama annem ona saçmaladığını, havaalanına gitmek için bol bol zamanımız olduğunu söyledi.

Dışarıda hava beş derece filandı ama Rodrick tatile uygun giyinmişti bile.

Meğer babam haklıymış, daha erken çıkmalıymışız. Noel, yıl içinde trafiğin en yoğun olduğu günlerdendir. Yollar, akrabalarını görmeye giden aileler nedeniyle TIKLIM TIKLIMDI. Hiç kimse Noel havasında görünmüyordu.

Bir de KAR yağmaya başlayınca her şey daha da kötüleşti. Ondan sonra her şey iyice yavaşladı. Annemle babam hangi saatte çıkmamız gerektiği konusunda tartışmaya başladılar. Babam neredeyse havaalanının girişini kaçırıyordu. Üç şerit atlamak zorunda kaldı, bu da hiç kolay değildi.

Havaalanına vardığımızda, ana otopark doluydu. Bu da epey uzaktaki ekonomi otoparkına park etmemiz gerektiği anlamına geliyordu. Babam bizi bavullarla birlikte girişte bırakacağını, arabayı park ettikten sonra yanımıza geleceğini söyledi.

Yolcu indirme alanına geldiğimizde, tam bir KAOSLA karşılaştık. Eşyalarımızı arabadan indirmeye çalıştık ama polisler kimsenin otuz saniyeden fazla durmasına izin vermiyorlardı. Bu da herkesi strese sokuyor ve her şeyi daha da beter hale getiriyordu.

Ben babamın eşyaların geri kalanını taşımasına yardım etmek için tekrar arabaya binmek zorunda kaldım. Normalde bu tür şeyler Rodrick'in görevidir ama kendisi yirmi derece hava sıcaklığına göre giyinmiş olduğu için, bundan kurtuldu.

Öyle giyindiği için şanslıydı. Ekonomi otoparkının kapısına geldiğimizde, babam bileti arabanın camından alamadı. Bana arabadan inip almamı söyledi.

Ne yazık ki arabanın benim indiğim tarafında kocaman bir su birikintisi olduğunu çok geç fark ettim.

Arabayı park ettikten sonra, eşyalarımızı en yakındaki servis durağına kadar sürükledik. Hiç de eğlenceli değildi.

Tabelada, ana terminale giden servis arabasının on dakikada bir kalktığı yazıyordu. Ancak durakta bize yer yoktu. Bu yüzden dondurucu soğukta beklemek zorunda kaldık.

Yirmi dakika bekledik ve servis gelmedi. Babam saat yüzünden iyice endişelenmeye başlamıştı. Neredeyse bir kilometre uzaklıktaki terminale kadar YÜRÜMEMİZ gerektiğini söyledi.

Babamı biraz daha beklemeye ikna ederdim ama çorabım buza dönmeye başlamıştı. Soğuktan donmak istemiyordum.

Tam biz duraktan yüz metre uzaklaşmıştık ki servis arabası otoparka girdi. Sürücüyü durdurmaya çalıştık ama yanımızdan geçip gitti.

Biz de durağa koştuk ama ne yazık ki zamanında varamadık.

Babam artık uçağı kaçıracağımız konusunda gerçekten endişeliydi. Ona uçağı kaçırmamızın belki de o kadar KÖTÜ olmayacağını söyledim ama beni dinleyecek halde değildi.

Terminale vardığımızda ikimiz de sırılsıklamdık ve canımız sıkkındı. Bu yüzden, karşıdan karşıya geçerken bir kamyonet bize çarpacak gibi olduğunda, babam ÖFKEDEN deliye döndü ve bunu da sürücüye gösterdi.

Sürücü çok sinirlenmişti. Kamyonetini durdurup aşağı indi.

Durup bu adamla tartışacak halimiz yoktu. Ters yöne koştuk ve ortalık sakinleşene kadar kaldırımda bekleyen insanların arasına karıştık.

Babam bundan bir ders çıkarabileceğimi, insanın öfkeden kendini kaybedip aptalca şeyler yapmaması gerektiğini söyledi. Ancak ben BAŞKA bir ders çıkarmıştım: Başı derde giren Heffley KAÇAR.

Ailenin geri kalanı terminalin girişinde bekliyordu. Annem neden bu kadar oyalandığımızı öğrenmek istedi. Babam da ona neden Rodrick ve Manny ile birlikte sıraya girip bize yer tutmadıklarını sordu.

Check-in kuyruğunu atlatmamız yirmi dakika sürdü. Babam büyük bavulumuzu tartıya koydu. Görevli, bavulun çok ağır olduğunu ve bunu geçirebilmek için fazladan para ödememiz gerektiğini söyledi.

Ancak babam havayollarının bizi SOYDUĞUNU, onlara asla tek bir kuruş daha ödemeyeceğini söyleyerek itiraz etti. Bunun üzerine bavuldaki giysilerimizden bazılarını çıkarıp sırt çantalarımıza tıktık.

Her şey hallolduğunda, uçuş kapısına gitmek için yarım saatimiz vardı. Güvenlik kontrol alanına geldiğimizde, ortalık HAYVANAT BAHÇESİ gibiydi.

İki sıra vardı; biri aileler, diğeri iş seyahatindekiler için.

Sanırım babam iş için seyahat ederken diğer sıraya giriyordu; şimdi bizimle birlikte aile sırasında beklemek zorunda kalmak hiç hoşuna gitmemiş gibiydi.

Ne zaman bir şeyin önüne "aile" sözcüğünü getirseniz, kötü şeyler olacağını bilirsiniz. Ve inanın, bunu söylememe yetecek kadar aile lokantasına gittim.

Uzun süre güvenlik sırasında bekledikten sonra nihayet en öne geldik. Ancak o sırada birkaç kişi arkamızdaki bir çocuk, bariyerleri bir arada tutan direklerdeki düğmelere basmaya başladı.

Birden, sıraları ayıran hiçbir şey kalmadı ve bir an kimse kımıldamadı.

Ancak sonra ortalık KARIŞTI.

Güvenlik görevlileri bariyerleri birleştirdiğinde, kendimizi sıranın en SONUNDA bulduk. Bütün bu kargaşaya neden olan çocuğun ailesi ise en ÖNDEYDİ.

Annemle babam ÇOK stresliydiler çünkü uçağımız her an kalkabilirdi. Babam, güvenlik görevlilerinden birine bizi öne alması için yalvardı ama adam hiç de anlayışlı değildi.

Uçağı zaten kaçırmış olduğumuzu düşünüyordum, bu yüzden neden güvenlikten geçmemiz gerektiğini anlayamıyordum. Ancak babam bazen kapıları son ana kadar kapatmadıklarını, hâlâ yetişme ihtimalimizin olduğunu söyledi.

Sonunda sıranın en önüne geldik ve bavullarımızla çantalarımızı bandın üzerine yerleştirdik. Sonra montlarımızla ayakkabılarımızı çıkarıp plastik kutulara koyduk.

Manny bizim yaptıklarımızı gördü ve o da GİYSİLERİNİ çıkarmaya başladı. Neyse ki annem zamanında fark etti ve onu fazla ileri gidemeden durdurdu.

Ancak Manny sorun çıkarmaktan vazgeçmiyordu. Bavulların geçtiği bandın bir tür SALINCAK olduğunu düşünmüş, öyle OLMADIĞINI anlayınca çok bozuldu.

Arkamızdakiler ilerlemediğimiz için sinirlenmeye başlamışlardı. Ama BİZE de önümüzdeki adam engel oluyordu. Üzerinde metal olan ne varsa çıkarmak zorunda kaldı ve bu SONSUZA KADAR sürdü.

Rodrick bana bu makinelerin GİYSİLERİN içini de gösterdiğini ve birinin senin içeriye tehlikeli bir madde sokmadığından emin olmak için ekrana baktığını söylemişti. Şunu söyleyebilirim: O İŞİ yapan kişinin yerinde olmak isterdim.

Giysilerin içini gören X-ray cihazının sadece büyükler için olduğu anlaşıldı; çocuklar bunun yerine bir metal dedektörden geçiyorlardı. Benim şansım yine yaver gitmedi.

Güvenlik kontrolünden geçtikten sonra, banttan eşyalarımızı aldık ve yola devam ettik. Bizim uçuş kapımız alt kattaydı, bu yüzden yürüyen merdivene binmek zorunda kaldık.

Bunu bile büyük bir SORUN yaşamadan yapamadık. Manny'nin pelüş hayvanı yürüyen merdivenin altına sıkıştı. Manny de, annemin hayvanı çekip kurtarabilmesi için ACİL DUR düğmesine basmak zorunda kaldı.

Babam saatine baktı ve hâlâ yetişebileceğimizi söyledi. Biz de kapıya doğru koştuk.

Ancak kapı terminalin öbür ucundaydı. Yürüyerek yetişemezdik.

O sırada engelli yolcular için bir araba geldi. Babam arabayı durdurdu ve sürücüye binip binemeyeceğimizi sordu. Kadının hayır demesine fırsat kalmadan hepimiz arabaya doluştuk.

Bunun sonrasında, sorunsuzca ilerledik. Terminal çok kalabalıktı ama bizim yaklaştığımızı duyan insanlar yolumuzdan çekiliyorlardı.

Sürücü bizi uçuş kapısında bıraktı ama kapı KAPALIYDI. Bunun uçağı kaçırdığımız ve eve dönüp güzel bir Noel geçireceğimiz anlamına geldiğini sandım. Meğer uçak RÖTAR yapmış, yani onca stres boşunaymış.

Uçuşun ertelenmesinin nedeni kötü hava koşullarıydı ve uçağa binmemize daha bir SAAT vardı. Bekleme salonunda oturacak yer aradık ama insanlar koltukları işgal etmişlerdi.

Annem, uçağa bindiğimizde altı saat havada kalacağımızı söyledi. BEN bunu hiç bilmiyordum. Annemden para istedim ve kapıya yakın yerdeki dükkândan iki dergi, birkaç atıştırmalık ve bir kulaklık aldım.

İhtiyacım olup da dükkânda satılmayan tek şey ÇORAPTI. Su birikintisine bastığım için sağ çorabım hâlâ sırılsıklamdı. Ben de suyunu lavaboda sıkmak için tuvalete gittim.

Bunu yaptığımda, çorap hâlâ NEMLİYDİ, onu tekrar ayağıma giymeyi hiç istemiyordum. Tuvalette şu güçlü el kurutma makinelerinden vardı. Hemen aklıma bir fikir geldi.

Bir an önce eve dönüp bu fikir sayesinde para kazanmaya başlamak için can atıyordum. Yağmurlu günlerde paraya PARA demezdim.

Tek sorun, havaalanının tuvaletindeki el kurutma makinesinin normalden biraz FAZLA güçlü olmasıydı.

Önce çorabımın dumanı TÜTMEYE başladı. Sonra da çorap UÇTU!

Tatilde yeni bir çift çorap almaya karar verdim çünkü KLOZETTEN çıkmış bir şeyi asla giyemezdim.

Tuvaletten çıktığımda, kapıda anons yaptıklarını duydum.

Yolcuları uçağa almaya başladıklarını düşündüm ama bize uçuşun yeniden ERTELENDİĞİNİ haber veriyorlardı.

Gün böyle devam etti. Fırtına her yerde sorunlara neden oluyordu ve bizi almaya gelmesi gereken uçak BAŞKA bir havaalanında mahsur kalmıştı.

Biz uçaktayken elektronik aletlerimin şarjının bitebileceğinden korkmaya başlamıştım. Şarj edebileceğim bir yer aramaya başladım. Ama gördüğüm kadarıyla herkes öyle düşünüyordu galiba.

Tek boş priz biraz garip bir yerdeydi ama eğer bataryan %15'teyse katlanmak zorunda kalıyorsun.

Sonunda uçak kapıya yanaştı ve içindeki yolcular indiler. Uçmanın eğlenceli bir şey olduğu söylenir değil mi? Ama insanların yüzlerinde hiç de eğlenmiş gibi bir ifade yoktu.

Kapıdaki görevli mikrofonla birazdan uçağa alınacağımızı bildirdi. Sonra uçakta "fazla yolcu" olduğunu ve koltuklarından vazgeçmeye razı olacak birkaç gönüllü aradıklarını söyledi.

İLK gönüllü olan kişi üç yüz dolar alacak ve havaalanı otelinde bir gece bedava kalma şansını kazanacaktı.

Tek bir sözcük daha duymama gerek yoktu. Görevli daha anonsunu tamamlamadan masasına koştum ve aradığı kişinin ben olduğumu söyledim.

Ne yazık ki annem benim gönüllü olmama izin vermedi ve BAŞKA aday da çıkmadı.

Kapı görevlisi teklifini BEŞ yüz dolara çıkardı ve bir kadın parayı hemen kaptı. Umarım benim paramı güle güle harcar.

Sonra kapı görevlisi bir anons DAHA yaptı. Uçağımızın kabin ekibinin ertelemeler yüzünden çok uzun saatler çalıştığını, uçağa binmeden önce YEDEK kabin ekibini beklemek zorunda olduğumuzu söyledi.

Artık bekleme salonundaki herkes SAHİDEN çok öfkelenmişti çünkü sabah erken yapılması gereken uçuş GECE YARISINA kalmış gibi görünüyordu.

Yeni kabin ekibi geldiğinde, hiçbiri orada olmaktan memnun değil gibiydi. Bunun nedeni belki de Noel gecesini EVDE geçirmek istiyor olmalarıydı. Ben de AYNEN öyle hissediyordum.

Ekip uçağa bindikten sonra, yolcuları almaya başladılar. Önce biz binecektik, çünkü küçük çocuğu olan ailelere öncelik veriyorlardı. Ancak kapı görevlisi beni durdurdu.

Benim el bagajımın, baş üstü dolaplarına sığmayacak kadar büyük olduğunu, aşağıya, diğer bagajların yanına gönderilmesi gerektiğini söyledi. BANA göre hava hoştu çünkü uçakta bagajla filan uğraşmak istemiyordum zaten.

Uçağa bindiğimde çok etkilendim. Koltuklar beklediğimden ÇOK daha büyüktü ve gerçek deri kaplıydı.

Anneme hangi sıraya oturacağımızı sordum ama annem biraz daha ilerlememiz gerektiğini söyledi. Buranın first-class olduğunu, bizim EKONOMİ bölümünde oturacağımızı da ekledi.

Ama ekonomi bölümü, first-class'ın yarısı kadar bile güzel değildi. Koltuklar sıkışıktı, üzerlerinde minder bile yoktu.

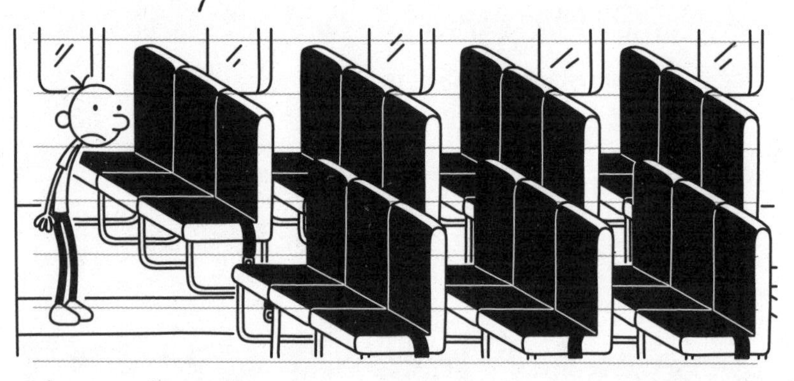

Annem koltuklarımızın uçağın ortalarına doğru olduğunu söyledi, biz de ilerledik. Ancak babam first-class'ta kalmıştı. Kendisi sık uçtuğu için uçuş milleri olduğunu, dolayısıyla burada oturma hakkının olduğunu, uçak indikten sonra bizi bulacağını söyledi.

Annem bu habere pek sevinmemişti. Hepimiz ekonomi bölümünde uçarken, babamın first-class olmasının haksızlık olduğunu söyledi. Uçuş sırasında babamın koltuğunda sırayla oturmamızı önerdi.

Ama babam bizim onun gibi deneyimli yolcular olmadığımızı, belki de first-class bölümde nasıl davranacağımızı bile bilmeyeceğimizi söyledi.

Neyse ki uçağa binmeye çalışan başka yolcular da vardı da annemle babam koridorun ortasında tartışmayı uzatamadılar. Babam koltuğuna oturdu, biz de kendi koltuklarımızı bulmaya gittik.

Geri kalanlarımız aynı sıradaydık. Annem, Rodrick ve Manny koridorun bir tarafında oturuyorlardı. Ben de DİĞER tarafta ortadaki koltukta oturuyordum.

Rodrick benimle yer değiştirmek istedi, böylece Manny ile oturmak zorunda kalmayacaktı. Ama ben yerimden memnundum. Bacaklarımı uzatabileceğim pek yer yoktu ama onun dışında hiç fena değildi.

Bizim arkamızdan bütün yolcular bindiler. İnsanlar eşyalarını baş üstündeki dolaplara koymaya çalışırken büyük sıkıntı yaşıyor gibi görünüyorlardı. Bu yüzden BENİM çantamı kapıda almalarına sevinmiştim.

Herkes çantalarını yerleştirdi ve yerine oturdu. Pilot, kapıların kapandığını anons etti. Benim sağımdaki ve solumdaki koltuklar boştu.

Bu kadar şanslı olduğuma inanamıyordum. Uçak havalanır havalanmaz üç koltuğa birden yayılacak ve güzel bir uyku çekecektim.

First-class'ta olmaktan bile İYİYDİ bu.

Ama tam kapılar kapanmadan önce uçağa bir çift daha bindi. Ve yanlarında bir BEBEK vardı.

Bu insanların benimle aynı sıraya oturacaklarını hiç tahmin etmedim çünkü sadece İKİ boş koltuk vardı. Ama bebek annesinin KUCAĞINA oturdu.

Ben havayolları sorumlusu olsam, bir koltuğa yalnızca bir kişinin oturmasına izin verirdim. Çünkü bu çiftin İKİZLERİ olsaydı mesela, işler iyice çığrından çıkardı.

Bu anne babaya birinin benimle yer değiştirmek isteyip istemediğini sordum, böylece yan yana oturabilirlerdi. Ancak anne cam kenarını sevdiğini söyledi. Baba da koridor tarafını seviyordu.

Derken pilot konuşmaya başladı. Uçak kalkmadan önce, acil durumlarda ne yapmamız gerektiğini gösteren kısa bir güvenlik videosu izleyeceğimizi söyledi.

Zaten biraz sonra uçacak olmak beni geriyordu, bir de "acil durum" olabileceğini duymaktan hiç hoşlanmamıştım. Bu yüzden güvenlik videosu gösterilirken DİKKATLE izledim.

Ama görebildiğim kadarıyla bir tek BEN izliyordum. Başka hiç kimsenin ilgilendiği yoktu.

Videonun başlangıcında basit şeyler anlatılıyordu, kemer nasıl bağlanır filan.

Ama sonra durum CİDDİLEŞTİ.

Videonun anlatıcısı, "kabin basıncının azalması" durumunda, tavandan oksijen maskelerinin ineceğini söylüyordu. "Kabin basıncının" ne olduğunu bilmiyordum ama bunun AZALMASI düşüncesinden hoşlanmamıştım.

Videodaki insanlar, oksijen maskeleri indiğinde PEK endişeli görünmüyorlardı ama. Hatta gayet MUTLU gibiydiler.

Sonra video daha da FENA oluyordu. Anlatıcı, "suya inme" halinde uçağı boşaltmamız gerektiğini anlatıyordu.

Şimdi iyice korkmuştum. Uçağın en büyük marifetinin HAVADA kalabilmek olduğunu sanıyordum ben.

Güvenlik videosu, uçakta acil durum çıkışları olduğunu söylüyordu. Çıkış sıralarında oturan kişilerin de herkesin dışarı çıkabilmesi için kapıları açmaları gerekiyordu.

Acil çıkış, benim bir sıra arkamdaydı. Orada oturan insanların videoyla PEK ilgilenmediklerini fark ettim. Bunun üzerine onlardan ellerindeki dergileri bırakmalarını ve dinlemelerini istedim.

Kabin görevlileri, kimsenin güvenlik videosunu izlememesini umursamıyor gibiydiler. Onların KENDİ çıkışlarının olabileceğini düşündüm; eğer bir sorun yaşanırsa, ben de onları takip edecektim.

Video uçağı suda, acil durum çıkışlarından şişme kaydıraklar çıkarken gösteriyordu. Çok EĞLENCELİ gibiydi.

Sonra videoda koltuk minderlerimizin "su üstünde kalma aygıtları" olarak kullanılabileceği ve her birinin üzerinde bir düdük olduğu söylendi. Artık sorularım vardı; ben de koltuğumun üzerindeki düğmeye bastım ve kabin görevlisini çağırdım.

Merak ettiğim şuydu: Eğer köpekbalıklarıyla dolu sulara inersek, düdüğü çalmak iyi bir fikir olur muydu? BENCE o zaman köpekbalıklarını bedava bir ziyafete davet ediyor olurduk.

Kabin görevlisi endişelenmeme gerek olmadığını çünkü bütün koltuk minderlerinin köpekbalığı savar ile kaplı olduğunu, köpekbalıklarının bize yaklaşamayacağını söyledi.

Bunu duyduğuma çok sevinmiştim ama benimle kafa bulup bulmadığını merak ediyordum.

Düdüklerin ne için olduğunu hiç anlamadım. Okyanusun ortasındaysanız, çaldığınız düdüğü kim duyar ki?

Eğer şanslıysanız yanınızdan bir seyahat gemisi filan geçer ama inanın bana o İNSANLAR durup sizi almazlar.

Güvenlik videosu bittiğinde, kendimi çok yorgun hissediyordum ve daha havalanmamıştık bile. Ancak birkaç saniye sonra, uçak pistte ilerlemeye başladı. Biraz sonra HAVADAYDIK.

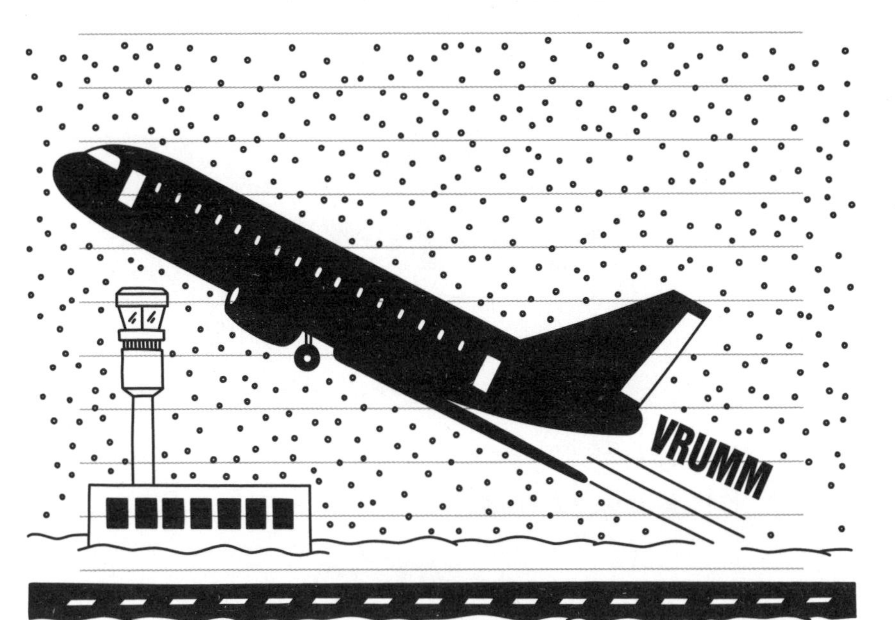

Yalan söyleyemem; kalkış sırasında gözlerimi kapattım. Neredeyse bayılacak hale gelene kadar nefesimi tuttuğumu da fark etmemişim.

Havalandıktan sonra, aynı sırada oturduğum çift, bebeğin karnını doyurmaya başladı.

Uçak havalanırken midem bulanmıştı ZATEN, üzerine bir de bezelye püresi kokusu hiç hoş olmuyordu.

Kusacak gibiydim ama ne YAPACAĞIMI bilmiyordum. Derken önümdeki koltuğun cebinde beyaz kâğıt torba olduğunu fark ettim ve bunun NE için olduğunu anladım.

Kabin görevlisi zaten benden pek hoşlanmamış gibiydi. Bir de ona kusmuk torbası verirsem hiç MUTLU olmayacağını biliyordum.

Bir şekilde bebeğin karnının doyurulması sırasında kusmamayı başardım. Ama keşke aynı şeyi BEBEK için de söyleyebilseydim.

Kadın kusmukları temizledikten sonra çantasına uzandı ve bebeğe oynaması için iki oyuncak verdi.

Oyuncaklardan biri plastik bir çekiçti. Bebek o şeyi eline alır almaz, CAMA vurmaya başladı.

Bir uçakta cam kırıldığında, içerideki her şeyin dışarı uçtuğunu duymuştum. Bu hiç de iyi olmazdı.

Bu yüzden, kadın başını çevirdiğinde, çekici bebeğin elinden kaptım ve koltuğumun altına soktum.

Ne yazık ki bu bebeği çıldırttı.

Meğer uçakta ağlayan bir bebeği hiç kimse sevmiyormuş. Herkes pis bakışlar fırlatmaya başladı. Neyse ki kadının çantasında biberon vardı, bu bebeğin sesini bir süre için kesti.

Ben de acıkmaya başlamıştım. Kabin görevlisini çağıran düğmeye bastım ve bizim karnımızı ne zaman DOYURACAKLARINI sordum. Ama o yemeklerin yalnızca first-class yolcular için olduğunu söyledi ve beni idare etmesi için bir paket fıstık verdi.

O sırada uçağa binmeden önce aldığım abur cuburları hatırladım. Ama SONRA da hepsinin aşağı gönderilen el bagajımda olduğu geldi aklıma.

Sanırım annem de yemek düşünmeye başlamıştı. Çünkü pilot "dolaşma irtifasına" ulaştığımızı, kabin içinde dolaşabileceğimizi söylediğinde, annem hemen kemerini çözdü ve Manny ile birlikte first-class'a gidip yemeğe yetişti.

Sol dirseğime soğuk ve nemli bir şeyin değdiğini hissettim. Sonra sağ dirseğime de BAŞKA bir şey değdi. Arkamdaki adam ayakkabılarını ve çoraplarını çıkarmış ve ayaklarını koltukların arasından uzatmıştı.

Sanırım adam, benim kollarımı dayadığım yerlere AYAKLARINI dayamakta hiçbir sakınca görmüyordu.

Kendimi sıkışmış hissetmeye başlamıştım. O sırada önümdeki de koltuğunu iyice arkaya yatırdı ve neredeyse suratıma yapıştırdı.

Ben de koltuğumu arkaya yatırmaya çalıştım ama bunu yapan düğmeyi bulamadım.

Kabin görevlisini çağırdım ve ona düğmenin nerede olduğunu sordum. O da bizim sıramızdaki koltukların geriye yatmadığını çünkü o zaman acil durum sırasını engelleyeceklerini söyledi.

TERLEMEYE başlamıştım. Kafamı dağıtmak için dergi okuyabileceğimi düşündüm ama koltuk cebindeki dergi, kimsenin ihtiyaç duymayacağı şeylerle dolu bir katalogdu.

Uykucu

Sıkıcı bir toplantı sırasında uyuklamaya mı başladınız? Uykucu gözlükleri sizi uyanık gösterir... hem de gözleriniz kapalıyken...

Pizza battaniye

Geceleri acıkanlar! Açlığınızı yenebilir ve sıcacık Pizza Battaniye ile bastırın.

Biberli, ekstra peynirli ve zeytinli.

Telefon Balonu

Yağmurlu günlerde telefonunuzu bu plastik balonla koruyun.

İki tarafımdaki insanlar film izliyorlardı. Ben de kendi ekranımı açıp bakabileceğimi düşündüm. Film komediye benziyordu ama kulaklıklarım çantamdaydı ve kulaklık olmadan filmde neler olup bittiğini anlamak zordu.

Başka neler izleyebileceğime bakmak için kanalı değiştirdim. Bir kanalda küçük çocuklar için bir program vardı ve yanımdaki bebek ekrandakilerle çok ilgilendi. Kanalı değiştirdiğimde avazı ÇIKTIĞI kadar ağlamaya başladı.

Tekrar aynı kanalı açtığımda ağlamayı kesti.

Bebeğin programı izlemesinin bana göre çok da sakıncası yoktu aslında ama ekran yüzüme FAZLA yakındı. Programdaki renkler o kadar parlaktı ki koltuk cebindeki göz maskesini taktığım halde, hâlâ olup biten her şeyi görebiliyordum.

Sonunda program bittiğinde, bebek yine ağlamaya başladı. Ama ben de bütün gece programı tekrar tekrar izleyecek değildim herhalde.

Ben de first-class'ı ziyaret etme vaktimin geldiğine karar verdim.

Ancak Rodrick benim kalkmaya çalıştığımı görünce, bana fırsat vermeden koltuğundan kalktı. O first-class'a gittiğinde sıranın bana gelmesi için epey beklemem gerekeceğini biliyordum.

Annemle babam koltuklarına döndüklerinde, kokpit kapısının arkalarından açıldığını ve pilotun çıktığını gördüm.

Bir tür ACİL durum olabileceğini düşündüm ve kabin görevlisini çağırıp neler olup bittiğini sordum. Pilotun bacaklarını esnetip tuvalete gitmesi gerektiğini, kontrolün ikinci pilotta olduğunu söyledi.

Sadece birkaç dakikalığına da olsa bir pilotun eksilmesi hiç hoşuma gitmemişti.

Şahsen ben iki pilotun da YETERLİ olmadığını düşünüyorum, İKİSİ birden kokpitteyken bile. Galiba biri kalp krizi filan geçirirse, uçağı ikincinin uçurması düşünülüyor.

Kabin görevlisine, DİĞER pilotun da korkup kalp krizi filan geçirmesi halinde ne olacağını sordum.

Kabin görevlisi bana endişelenmememi, bu uçakların üstün teknolojiyle yapıldığını ve KENDİ kendilerini uçurabildiklerini söyledi.

Pilotların çok para kazandıklarını duymuştum. Eğer kabin görevlisinin söyledikleri DOĞRUYSA, bu iş tam BANA göreydi.

Pilot tuvaletten çıktığında, benim de tuvalete gitmemin iyi olacağını düşündüm. Tek bir sorun vardı, yanımda oturan adam uyuyordu ve onu uyandırmadan üzerinden atlayamazdım. Ben de onun ALTINDAN geçmeye çalıştım ve inanın bana, pek eğlenceli değildi.

Uçağın ön tarafına doğru yürüdüm ama first-class'a gelemeden, uçuş görevlisi bana ekonomi yolcularının ARKA taraftaki tuvaleti kullanmak zorunda olduklarını söyledi.

Ekonomi bölümündeki tuvalet çok küçüktü ama orada olmak, koltuğumda sıkışıp kalmaktan YÜZ kat daha iyiydi. Kendime ait küçük bir dairem olmuş gibiydi.

Fen dersinde, insan dışkısının uçak tuvaletinden atıldığında donup katılaştığını öğrenmiştik. Bizim kasabada biri, uçaktan düşen bir parça dışkı bulmuştu ve bunun bir METEROİT olduğunu sanmıştı.

Sanırım adam onu iyi para karşılığında satmayı düşünüyordu ama o şey eritildiğinde, beş para etmeyeceğini öğrendi.

Tuvalete yerleştikten sonra, artık koltuğuma dönmeme gerek olmadığını düşündüm. Başka BİRİLERİ geldiğinde, onlar gidene kadar tuvalet sesleri çıkardım.

Biri gerçekten çok sıkışmış olmalıydı, kapının kolunu öyle sert sallıyordu ki KIRILACAĞINI sandım. Sonra gitti. Ancak birkaç dakika sonra bütün TUVALET sallanmaya başladı.

Bu kişi her kimse tuvaleti kullanmaya benden çok daha fazla ihtiyacı vardı galiba. Kapıyı açtım. Ama KİMSECİKLER yoktu. O anda sadece tuvaletin değil, bütün UÇAĞIN sallandığını fark ettim.

Suya düştüğümüzü ya da motorun bozulduğunu sandım. Ama sonra pilot konuşmaya başladı.

Buna HİÇ inanmadım. Bence pilot oturduğu yerde uyumuş, kafasını direksiyona filan vurmuş, sonra da bu "hava boşluğu" bahanesini uydurmuştu. Çünkü ben onun yerinde olsam TAM da böyle yapardım.

Galiba kabin görevlisi benim ne kadar tırstığımı anlamıştı. Sadece küçük bir "türbülans" olduğunu, bunun da böyle bir uçuşta gayet normal olduğunu söyledi.

Eğer böyle bir şey NORMALSE, pilot filan olmam ben. Çünkü uçağı ben uçuruyor olsaydım, en küçük bir tehlikede oradan tüyerdim.

Kabin görevlisi, koltuğuma dönmem ve kemerimi bağlamam gerektiğini söyledi. Ama yerime gittiğimde, koltuğumun işgal edilmiş olduğunu gördüm.

Bebeği kımıldatmak istemedim çünkü hemen uyanıp yeniden ağlamaya başlayacağını biliyordum.

Ben de Rodrick'i first-class'tan çıkarıp bebekle onun uğraşmasını sağlamak için uçağın ön tarafına gittim. Ama ona ULAŞAMADIM. Türbülans sırasında servis arabasının tekerleklerinden biri kırılmıştı ve yolumu kapatıyordu.

Başka seçeneğim olmadığı için yeniden koltuğuma döndüm. Nasıl yaptığımı hiç sormayın ama bir ya da iki saat uyuyabildim. O kadar yorulmuşum ki uçak indiğinde bile uyanmadım.

Salı

Uçuş beni o kadar endişelendirmişti ki, aslında NEREYE gittiğimizi düşünmemiştim bile. Ama uçaktan indiğimde, kendimi bambaşka bir dünyada bulmuştum sanki.

İtiraf etmeliyim, o tropik havayı tenimde hisseder hissetmez, babamın soğuk havadan kaçmak konusunda neden o kadar hevesli olduğunu anladım.

Eşyalarımızı bagaj bandından aldık ve işaretleri takip ederek servisin bizi beklediği yere gittik.

Dışarıda hava HARİKAYDI ama otobüsteki klima DAHA da güzeldi. Ayrıca bu otobüsteki koltuklar, first-class'takinden daha güzeldi.

Yolcular otobüse bindikten sonra, otele doğru yola çıktık. Başımızın üzerindeki monitörlerde bir video gösteriliyordu ve uçaktakinden bir MİLYON kat daha eğlenceliydi.

Video, oteldeki aktivitelerin hepsini gösteriyordu ve ben de HEPSİNE katılmak istiyordum.

Aktivitelerden biri yunuslarla yüzmeydi ve bu HEP yapmayı çok istediğim bir şeydi.

Ama müthiş görünen başka bir sürü şey daha vardı. Bu aktiviteleri BİRLEŞTİRMEMİZE olanak tanımalarını umuyordum, böylece eve dönmeden hepsine katılabilirdim.

O zamana kadar bu seyahat konusunda olumsuz düşündüğüm için kendimi kötü hissettim. Özür dilemek için annemle babama döndüm. Ama keşke bunu yapmak yerine videoyu izlemeye devam etseymişim.

Otelde otobüsten indiğimizde, çalışanlar bizi karşıladılar ve annemle babama birer içecek uzattılar.

Eşyalarımızı beyaz eldivenli bu insanlara verdik. Onlar da hepsini odamıza götüreceklerini söylediler. Çok ETKİLENDİĞİMİ söylemeliyim.

Resepsiyona gittik, görevli kadın bize her şeyin nasıl işlediğini anlattı. Buranın "her şey dahil" bir otel olduğunu, bu yüzden nakit para ya da kredi kartı kullanmamıza gerek olmadığını söyledi.

Her şeyin parasını, oda anahtarlarımızla eşleşen plastik kartlarla ödeyecektik.

Annemle babam, resepsiyon görevlisine balayında gelip kaldıkları binada kalmak istediklerini söylediler. Ancak kadın otelin o zamandan beri DEĞİŞTİĞİNİ söyledi. Otel artık ikiye ayrılıyordu; "Vahşi Yaka" ve "Sakin Yaka".

Annemle babam daha önce "Vahşi Yaka"da kalmışlar ve oraya çocuk alınmıyormuş. Kadın bize harita üzerinde binamızın nerede olduğunu gösterdi.

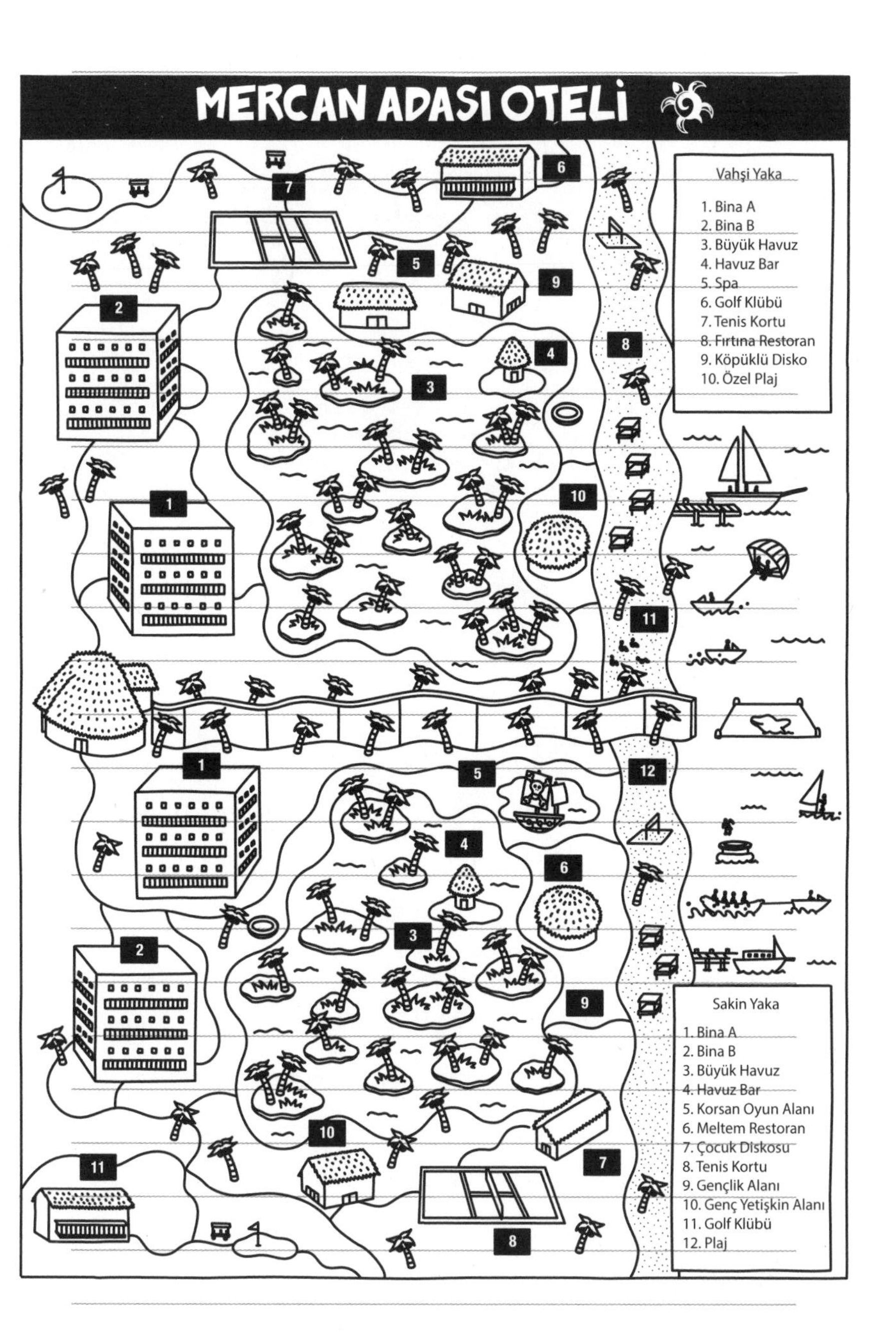
MERCAN ADASI OTELİ
Vahşi Yaka
1. Bina A
2. Bina B
3. Büyük Havuz
4. Havuz Bar
5. Spa
6. Golf Klübü
7. Tenis Kortu
8. Fırtına Restoran
9. Köpüklü Disko
10. Özel Plaj
Sakin Yaka
1. Bina A
2. Bina B
3. Büyük Havuz
4. Havuz Bar
5. Korsan Oyun Alanı
6. Meltem Restoran
7. Çocuk Diskosu
8. Tenis Kortu
9. Gençlik Alanı
10. Genç Yetişkin Alanı
11. Golf Klübü
12. Plaj

Babamın bu değişiklikler yüzünden ne kadar hayal kırıklığına uğradığını görebiliyordum. Ama annem böylesinin DAHA iyi olduğunu söyledi. Bu bir AİLE tatiliydi ve etrafımızın çılgınca eğlenen genç çiftlerle sarılmasına gerek yoktu.

Otelin HANGİ tarafında olduğumuz umurumda değildi çünkü bana göre her iki tarafta da olması gereken her şey vardı. Beni asıl ilgilendiren, ODAYDI.

Genellikle ailece bir otele gittiğimizde hepimiz aynı odada kalıyoruz ve ben de kanepede yatmak zorunda kalıyorum. Bu yüzden, bol bol yerin olduğu bir süitte kalacağımızı görünce çok şaşırdım.

Süitte iki oda vardı. Hepimiz aynı banyoyu paylaşacaktık ama Rodrick ve benim KENDİ yataklarımız vardı, önemli olan da buydu. Şunu söyleyebilirim: Annem ve babam bu tatile İYİ para harcamışlardı.

Rodrick'le kaldığımız odada televizyon vardı ama daha da iyisi dolapta bir BORNOZ olmasıydı.

Bornozu hemen kaptım ama Rodrick bunun için benimle mücadele etmedi bile.

Evde ne zaman annemin bornozunu giysem, Rodrick dalga geçer. Ama ben bornozların MÜTHİŞ olduğunu düşünüyorum. Bu konuda benimle aynı fikirde olan bir sürü insan olduğuna da eminim.

Banyodaki duş kocamandı, yerler ve lavabo mermerdi. Küvetin üzerinde televizyon, tuvaletin yanında da telefon vardı.

Eğer tuvalete oda servisi geliyorsa, bütün ihtiyaçlarımı tek bir yerde halledebileceğimi düşündüm.

Annemle babamın balkonundan, otelin Vahşi Yaka'sındaki havuzu görebiliyordum ve gerçekten kocamandı.

Bu sıradan bir havuz değildi üstelik. Bir nehre benziyordu ve üzerinde bir sürü ada vardı. Annem bunun dünyanın en büyük "serbest" havuzlarından biri olduğunu söyledi.

Bunu duyunca heyecanlandım çünkü aynısından BİZİM tarafta da vardı. Gidip bakmak istiyordum ama önce üzerimi değiştirmem gerekiyordu.

Büyük bavulu açmaya gittim ama kilitliydi. Babamdan anahtarı istedim ama bizim bavulumuzun anahtarının OLMADIĞINI söyledi. Sonra bavulun üzerindeki isim etiketine baktı. BAŞKASININ adı yazıyordu.

Meğer havaalanında başkasının bavulunu almışız. Babam hemen havayolu şirketini aradı ve durumu anlatarak bizim bavulumuzun onlarda olup olmadığını sordu.

Havayolu şirketindekiler, kimse bizim bavulumuza sahip çıkmadığı için onu bagaj etiketinin üzerindeki adrese geri gönderdiklerini söylediler.

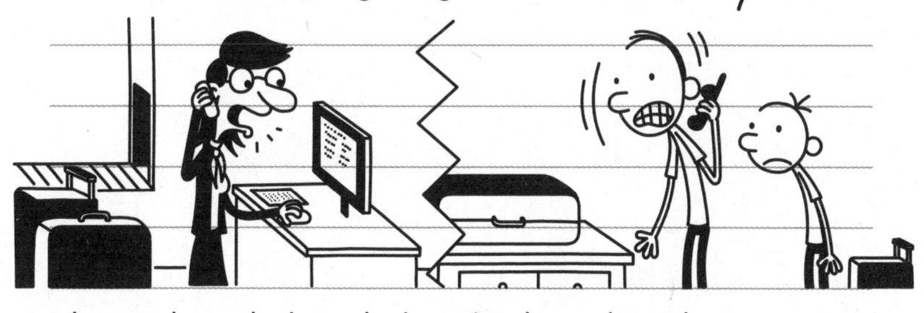

Neyse ki çok büyük bir felaket değildi bu. Havaalanında giysilerimizin bazılarını el bagajlarımıza aktarmıştık, bu yüzden yanımızda bir şeyler vardı.

Benim mayom vardı ama BAŞKA bir sürü şeyim eksikti. Parmak arası terliklerim ve güneş gözlüğüm, diğer eşyalarımla birlikte büyük bavulda kalmıştı. Babam, ihtiyacımız olan eşyaların otelin marketinde satıldığını söyledi, biz de bakmaya gittik.

Ama marketteki her şey normal fiyatının beş katıydı. Babam bu paraları asla ödemeyeceğini söyledi.

Annem de her gün aynı giysileri yıkayıp giyebileceğimizi söyledi. Böylece marketten yalnızca güneş kremi ve Manny için kovayla kürek aldık.

Annem böyle bir yerde güneş kremi sürmemizin çok önemli olduğunu, çünkü ekvatora yakın olduğumuzu söyledi. Ama BENİ ikna etmesine gerek yoktu zaten. Güneşin insanın tenine neler yapabileceğini gördüm ve büyüdüğümde bir kuru üzüme benzemek istemiyorum.

Bu yüzden evde olabildiğince çok vakit geçiriyorum. İleride arkadaşlarım da bunu yapmadıkları için pişman olacaklar.

Noel'de geldiğimiz için otelin boş olacağını düşünmüştüm. Ama anlaşılan herkes aynı şeyi düşünmüştü.

Ama kalabalık olan yer yalnızca HAVUZ değildi. Her yer TIKLIM TIKLIMDI. Jakuzide biraz rahatlamak için can atıyordum, ta ki onu görene kadar.

Gölgede birkaç şezlong bulduk ve eşyalarımızı bıraktık. Kışın ortasında olduğumuz hemen anlaşılıyordu çünkü hemen herkes benim gibi şekilsizdi.

Sık sık egzersizi ve vücut şekillendirmeyi düşünüyorum. Ama gelecekte herkesin bir hap alıp hiç egzersiz yapmadan forma gireceğinden eminim.

O zaman formda olmak NORMAL olacak ve herkes formda OLMAYAN insanlara bayılacak. Yanı eğer şu andaki egzersiz planıma uyarsam, her şey yolunda gidecek.

Havuz yüzülemeyecek kadar kalabalıktı, ben de kafamı bir havluyla örtüp biraz uyumaya karar verdim.

Hava çok sıcak olsa da, tatlı bir meltem vardı. Yavaş yavaş içim geçmiş. Ama tam uykumun ortasında, bir adam ortaya çıkıp bütün ortamı mahvetti.

Bu adam kendine "Eğlence Müdürü" diyordu ve görünüşe göre görevi herkesi harekete geçirmekti.

Maalesef bu adam işinde çok iyiydi ve bir şekilde beni de aktivitelerinden birinin içine çekti.

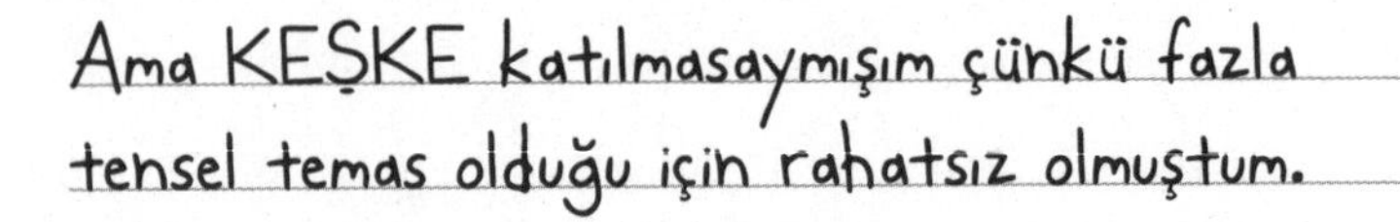

Ama KEŞKE katılmasaymışım çünkü fazla tensel temas olduğu için rahatsız olmuştum.

Konga dansı bittiğinde, Eğlence Müdürü sıradaki aktivitenin "Hazine Dalışı" olduğunu ve bunun yalnızca çocuklar için olduğunu söyledi. Böyle aptalca ve çocukça bir şeye katılmak istemiyordum, bu yüzden yerime oturdum. Ancak Eğlence Müdürü kocaman bir kova dolusu bozuk para çıkarınca, ilgimi yeniden çekmeyi başardı.

Bütün çocuklara havuzun kenarına dizilmelerini söyledi, sonra da suya avuç avuç bozuk para atmaya başladı.

Üstelik hiç de KÜÇÜK paralar değildi bunlar. Aralarında en büyük madeni paralar da vardı.

Kova boşaldığında, havuzun dibinde küçük bir servet birikmişti bence. Herkes havuzun kenarında Eğlence Müdürü'nün düdüğünü çalmasını bekliyordu.

Düdük çalınınca, herkes kendini suya attı.

Ben ilk dalışta iki madeni para kapmayı başardım ve bunları havuzun kenarına, şezlonguma yakın bir yere koydum. Ama uyanık bir çocuk atılıp paralarımı aldı.

Hile yapan sadece o değildi. Çocuklardan biri havuza pantolonuyla girmişti ve ceplerini bozuk paralarla DOLDURDU.

Bu herkese fikir vermiş oldu. Şimdi bütün çocuklar bozuk paraları bulabildikleri her yere tıkıyorlardı.

Her şey bittiğinde, yaklaşık üç dolarlık bozuk param vardı. Çocuklar havuzu boşalttıklarında, suya girip biraz yüzerek rahatlamanın iyi olacağını düşündüm.

Havuzda gölge bir yer buldum ve duvara yaslandım. Ama sonra arkamda otların hışırdadığını duydum ve birden sanki Jurassic Park'tan fırlamış gibi görünen bir şeyle yüz yüze geldim.

Oradan hemen kaçtım ve suda adeta uçarak ilerledim.

Cankurtarana, havuzun kenarında bir tür dinozor olduğunu ve kimsenin CANI yanmadan herkesi sudan çıkarmasını söyledim.

Ama cankurtaran hiç umursamamış gibiydi. Dev kertenkelenin sadece bir İGUANA olduğunu ve otelin her yerinde bunlardan olduğunu söyledi. İguanaların bazen havuza girmek istediklerini de ekledi.

Bu benim için HER ŞEYİ değiştirmişti işte. Bana kalırsa, dev kertenkeleler HAYVANAT BAHÇESİNDE yaşamalı, biz insanların arasına karışmamalıdır.

Havuzla işim BİTMİŞTİ. Anneme yemek yemeye gidip gidemeyeceğimizi sordum.

Annem bunun iyi bir fikir olduğunu söyledi ve yakında açık havada bir yer bulduk.

Ancak açık havada oturmanın sorun olduğu ortaya çıktı. Birincisi, burada sadece iguanalar yoktu. Çalıların arasından çıkan duvar kertenkeleleri, semenderler ve KİM BİLİR daha neler vardı.

Üstelik sorun sadece KERTENKELELER de değildi. Bir de sümüklüböcekler vardı ve onları çatal bıçaklarımızla masadan kovmak zorunda kaldık.

Garson, bardaklarımıza sürahiden su doldurdu ama annem bize içmememizi söyledi. Midelerimizin buradaki suda bulunan mikroplara alışkın olmadığını, bu yüzden ŞİŞE suyu içmemiz gerektiğini anlattı.

Ama babam kendisi için SORUN olmadığını, bir sürü yer dolaştığını ve midesinin HER ŞEYİN üstesinden gelebildiğini söyledi.

Ben yine de kendimi riske atmayacaktım. Bir kutu gazoz isteyip bardağa doldurdum. Bir de hamburger ve kızarmış patates istedim.

Yemeklerimiz geldiğinde, masamızın etrafındaki ağaçlara kuşlar kondu. Önce umursamadım çünkü kuşlar uçtuğunda kertenkeleler çalıların arasına kaçıyorlardı.

Derken bacağı ya da başka bir yeri yaralanmış gibi görünen bir kuş masamızın yakınında yerde hoplamaya başladı.

Ama hepsi büyük bir NUMARAYMIŞ. Biz başımızı yerdeki kuşa çevirir çevirmez, bütün DİĞER kuşlar üşüştüler ve yemeklerimizi didiklemeye başladılar.

Kuşları kovaladık ama tabii o zamana kadar yemeklerimizin yarısını yemişlerdi bile. Kuşların dokunmadığı tek şey içeceklerimizdi. Ama bunun bir önemi yoktu. Sümüklüböcekler benim gazozumu içmeye başlamışlardı. Neyse ki bir yudum almadan önce onları fark ettim.

Buranın CENNET olduğunu sanıyordum ama tam bir KÂBUSTU.

Tek istediğim odama gidip orada KALMAKTI ama annem oteli keşfetmeye çıkacağımızı söyledi. Derken babam da odaya gitmek istedi. Çok sıcakladığını ve hepimizin uçuştan sonra biraz dinlemeye ihtiyacımız olduğunu söyledi.

Odamızın olduğu binaya yöneldik ama babam lobideki tuvalete uğradı. Sonra TEKRAR spor salonunun yanındaki tuvalete de gitmesi gerekti. Sanırım annem su konusunda haklıydı.

Günün geri kalanı hiçbirimiz için EĞLENCELİ geçmedi. Sonunda süitimize ulaştık. Babam kendini banyoya kapattı. Annem de beni babamın midesi için ilaç almak üzere markete gönderdi.

Ancak etiketler İngilizce değildi. Ben de ishale ya İYİ GELEN ya da NEDEN OLAN bir şey aldım.

İlaç işe yaramamış gibiydi. Bütün gece babamın inlemelerini ve öğürmelerini dinlemek zorunda kaldık.

Ben odamda bir film izlemeye başladım, sesini de sonuna kadar açtım. Ama odam dışarıya açıktı ve televizyonu açar açmaz bir pervane sürüsü içeri girip ekranı sardı.

Pervanelerin yeniden dışarı uçması için televizyonu ve süitteki bütün ışıkları kapatmak zorunda kaldık. Rodrick'le gecenin yarısını karanlıkta oturarak geçirdik.

Zaten çok yorgundum, iyi bir uyku çekmeyi deneyebileceğimi düşündüm. Ama yatağa girer girmez, otelin Vahşi Yaka'sında müzik çalmaya başladı. Oradakiler bütün gece çılgınca EĞLENDİLER.

İşin en garip yanı, o ana kadar Noel olduğunu unutmuştum. Bu tatilin nereye gittiğini bilmiyordum ama bana kalırsa sonrası bundan daha kötü olamazdı.

Çarşamba

On dört saat filan uyuyabilirdim ama şafak sökerken uyandım çünkü penceremin önünde bir tropikal kuş sürüsü toplanmış, yaygara koparıyordu.

Yataktan kalktığımda, annem uyanmıştı. Babamın bütün geceyi banyoda geçirdiğini, onun biraz uyuyabilmesi için bizim odadan çıkmamız gerektiğini söyledi.

Taze bir başlangıç yapmaya hazırdım; mayomu giyip kapıya yöneldim. Ama annem, Rodrick'le bana yataklarımızı yapmamız ve odayı toplamamız gerektiğini söyledi.

Anneme tatilde olduğumuzu ve kat görevlisinin bu işleri bizim yerimize halledeceğini hatırlattım. Ama annem, tatildeyiz diye hayvanlar gibi yaşayamayacağımızı söyledi.

Anneme, tatilde olmanın en iyi tarafının birinin sizin arkanızdan temizlik yapması olduğunu söyledim. Ama annem bu hafta kendi temizliğimizi KENDİMİZİN yapacağını söyleyerek ısrar etti. Sonra kapıya "Rahatsız Etmeyin" yazısını astı, böylece kat görevlisi odamıza girmeyecekti.

Anneme temiz havlu ve çarşafları nereden alabileceğimizi sordum. O da kirlileri banyoda, tıpkı giysilerimizi yıkadığımız gibi yıkayabileceğimizi söyledi.

Yani annem kendi çamaşırlarımızı yıkamamız konusunda şaka yapmıyordu. Hatta o sırada Manny lavaboda babamın külodunu ovuyordu ve bunu Rodrick'in diş fırçasını kullanarak yaptığından emindim.

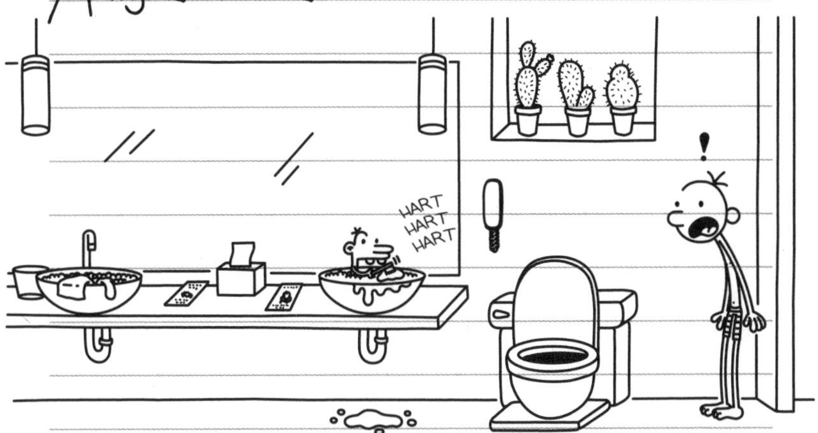

Şahsen ben otelde kalmanın en iyi tarafının her gün temiz havlu ve çarşaflar almak olduğunu düşünüyorum. Ama annem, otellerin çok fazla çamaşır deterjanı kullandıklarını ve eğer havlu ve çarşafları tekrar kullanırsak, çevreyi korumuş olacağımızı söyledi.

O sırada banyonun her yerinde, insana temiz malzeme istediği için kendini suçlu hissettiren kartlar gördüm.

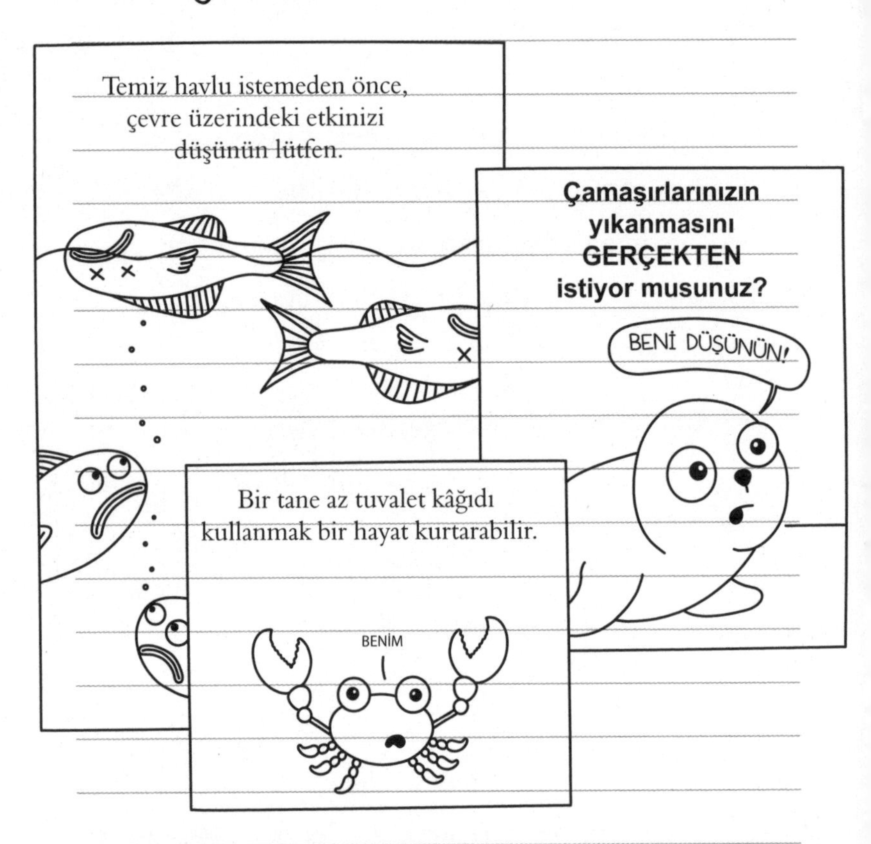

Annem hep birlikte plaja gitmemiz gerektiğini söyledi ama ben odada kalıp duş almak istiyordum. İşin gerçeği, ZAMANIMI odada geçirmek istiyordum ve eğer annem odada kalırsa, çok fazla sıcak su kullandığım için kızacağını biliyordum.

Duşun en acayip tarafı, tamamen dışarıya açık olmasıydı. Buna ALIŞMAK bir dakikamı aldı çünkü birinin duvarın üzerinden gözetlemesinden endişe ediyordum.

Etrafı açık bir yerde çıplak kalmaktan rahatsız olmayacak insanlar olabilir ama inanın bana ben onlardan biri değilim.

İnsanın çıplak doğması bir anlam ifade etmiyor bence çünkü artık böyle bir durumda rezil oluyorsunuz.

Ancak açık havada duş almaya bir kez alıştıktan sonra, BAĞIMLI hale geldim. Duşun "dur" ve "masaj" gibi bir sürü ayarı vardı. Her birini tek tek denedim ama sen sevdiğim "sağanak" oldu.

Orada kırk beş dakika kadar kalmış olmalıyım. Bittiğinde, duştan çıkıp bornozumu giydim. Terliğimi giymeye çalıştığımda, sağ ayağıma bir şeyin engel olduğunu fark ettim.

Terliği elime alıp salladım, içinden dev bir örümcek düştü.

SIRADAN bir örümcek değildi bu. Büyüklüğü ELİM kadardı. Örümcek yere düştüğünde, ben de onunla aynı seviyede olmamak için lavaboya tırmandım.

Yedi yaşımdan beri örümceklerle sorunum var. Bir yaz bizim garajdayken, köşede pamuk topuna benzer bir şey bulmuş ve onu süpürge sapıyla dürtmüştüm.

Ama pamuk topu değilmiş. Bir YUMURTA KESESİYDİ ve binlerce yavru örümcekle doluydu.

Sonbaharda okula başladığımda, öğretmen bize çalışma kâğıtları doldurttu. Sorulardan biri, büyüyünce ne olmak istediğimizdi.

Herkes "astronot", "veteriner" filan yazmış. Ama BEN öyle yazmadım.

En sevdiğin renk nedir?

MAVİ

En sevdiğin hayvan nedir?

KÖPEK

Büyüyünce ne olmak istiyorsun?

HAŞERAT ÖLDÜRÜCÜ

Artık ne zaman bir örümcek görsem, yedi yaşımdaki o güne gidiyorum. Örümcekler hakkında bir şeyler okumayı bile sevmiyorum.

Yani şunu söyleyebilirim. Ben "Charlotte'un Örümcek Ağı" kitabındaki karakterlerden biri olsaydım, kitap çok kısa olurdu.

Şansımın YARDIMIYLA, banyonun yerindeki dev örümceğin ZEHİRLİ olduğunu fark ettim. Bazı böceklerin avlarını ısırdıklarını, sonra onları canlı canlı yemek için sarıp sarmaladıklarını okumuştum bir yerde; bu da kulağa hiç eğlenceli gelmiyordu.

Nedense, örümcek hareket etmiyordu. Ya mermer zeminde kendini kamufle ediyordu, böylece onu GÖREMEYECEKTİM ya da bundan sonra ne yapması gerektiğine karar vermeye çalışıyordu. Tıpkı benim gibi.

Örümceğin üzerine terliğimi fırlatmayı düşündüm ama ıskalamaktan ve hayvanı daha da ÖFKELENDİRMEKTEN korkuyordum. Vursam bile, terlik ona hiçbir zarar vermezdi herhalde.

Babama bana yardım etmesi için seslendim ama alabildiğim tek karşılık, odasından gelen cılız sesli bir inleme oldu. O anda TELEFONU hatırladım. 911'i aradım ama kayıtlı mesajla karşılaştım.

Telefonun üzerinde bir sürü tuş vardı ama hiçbiri içinde bulunduğum duruma uymuyordu. Ben de "Oda Servisi'nin numarasını tuşladım çünkü oranın yakın olacağını düşündüm.

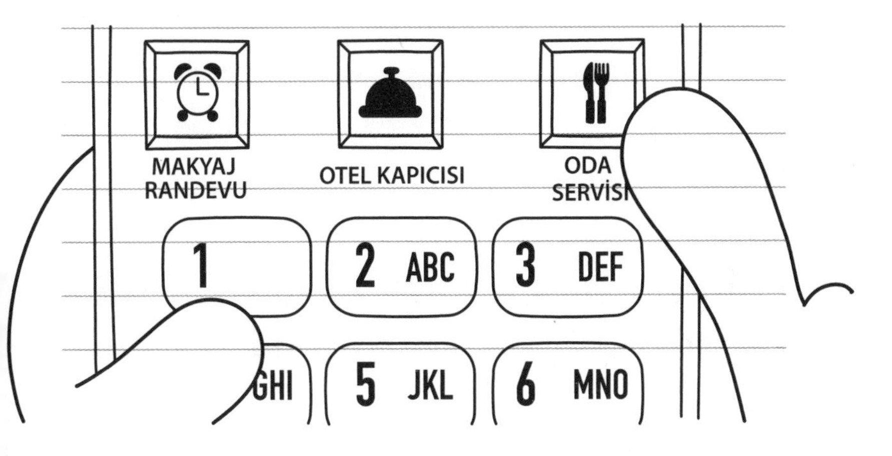

Telefonu bir kadın açtı. Ona örümcek sorunundan söz ettim ve ACİLEN birini göndermesi gerektiğini söyledim. Ama ya ben çok hızlı konuşuyordum ya da bir dil sorunu vardı; çünkü kadın ısrarla benim kahvaltı siparişimi almaya çalışıyordu.

Sonunda pes ettim ve sahanda yumurtayla sucuk sipariş ettim. Birinin gelmesini sağlamak için NE gerektiği umurumda değildi, yeter ki ÇABUK gelsindi.

Telefonu kapattığımda, ses örümceği harekete geçirmişti. Yerde koştu ve gelip lavabonun önünde durdu.

Şimdi o şeye daha da YAKINDIM ve korkudan ödüm patlıyordu.

On beş dakika kadar hareketsiz durdum, nefes almaktan bile çekiniyordum. Ama sonra telefon çaldı; ses beni öyle şaşırttı ki dengemi kaybettim.

Oda servisi garsonuydu arayan. Yemeğimi getirmek için süitimize geldiğini söyledi. Ama kapıda "Rahatsız Etmeyin" yazısı asılıydı, o da geri dönüp mutfağa gitmişti.

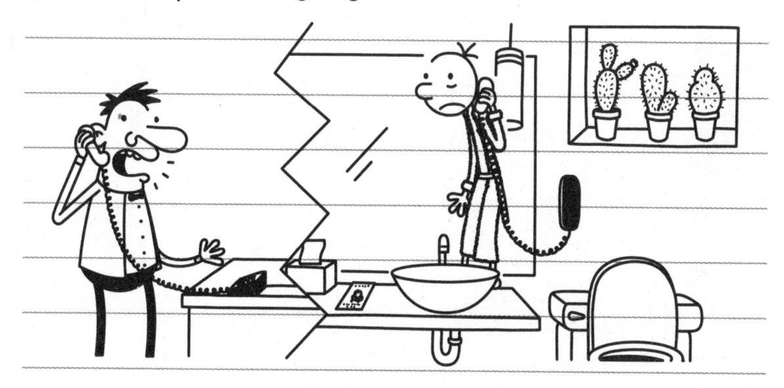

Ona GERİ gelmesini ve isterse kapıyı tekmeyle bile kırabileceğini, buna izin verdiğimi söyledim.

Telefonu kapattığımda, örümcek yine koşmaya başladı. Onun benim yerimi keşfetmesinden ve beni yakalamaya gelmesinden korktum. Kendimi savunabileceğim bir şey var mı diye etrafıma bakındım ama YAKINDAKİ tek şey lavabonun üzerindeki bardaktı.

Örümcek çok yakına gelirse, onu tuzağa düşürebileceğimi düşündüm. Tabii ki örümcek hemen altıma kadar koştu. O bunu yaptığında, ben de bardağı üzerine kapattım.

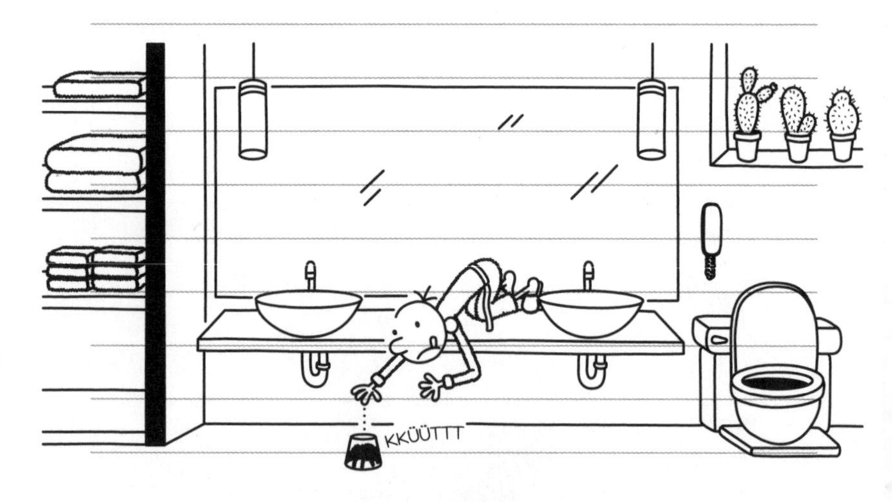

Örümcek bardağın altında kıpırdıyor ama ÇIKAMIYORDU. Gözümü örümcekten ayırmadan yavaşça lavabodan uzaklaşıp banyodan çıkmaya çalıştım ama arkamı döndüğümde oda servisi yapan garsona çarptım.

Bütün bu gürültü örümceği yeniden harekete geçirdi ve yürürken bardağı da beraberinde sürükledi. Önce endişelenmedim çünkü hâlâ bardağa hapsolmuş haldeydi. Ama sonra oluğun üzerinden geçti, burası zeminden biraz aşağıdaydı, bu da örümceğe bardağın altından sürünerek geçmesi için biraz yer sağladı.

O sırada oda servisi yapan garsonun da örümceklerden benim kadar korktuğunu fark ettim.

Bu meselenin üstesinden gelmenin bana bağlı olduğunu anladım. Örümceği yemek tepsisinin kapağını kullanarak hapsetmeye çalıştım. Ama örümcek yerde zigzaglar çizerek koşuyordu ve yakalamak hiç kolay değildi.

Sonunda, örümceği kapağı duvara yapıştırarak yakaladım. Bundan sonra ne yapacağımı bilmiyordum çünkü kapağı kaldırdığım anda, örümcek yine kurtulup koşmaya başlayacaktı.

Derken örümceğin bacaklarından birinin kapağın altından çıktığını fark ettim.

Örümceği tamamen kapatmak için kapağı hareket ettirmeye çalıştım ama sanırım fazla sert bastırmışım. Çünkü bacak KOPTU.

Örümcek yere düştü, şimdi DELİRMİŞ gibiydi. Parmak uçlarıma basarak koşturuyor, onun beni ısırmayacağından emin olmaya çalışıyordum.

Sonra örümcek çok BÜYÜK bir hata yaptı. Tuvaletin kenarına tırmandı. Ben de terliğimle vurup onu klozetin içine düşürdüm ve kapağı çarparak kapattım. Oda servisi görevlisi de son hamleyi yaptı.

İtiraf etmeliyim, ikimiz çok iyi bir takım olmuştuk. Eğer bir gün haşerat öldürme işine girersem, bu çocuğu da işe alabilirim sanırım.

Örümcekle karşılaşmamdan sonra, kendimi bir an önce odadan dışarı atmak istiyordum. Plaja giden yolu bulmak için otelin haritasını aldım ama kayboldum ve sonunda kendimi iki yakayı birbirinden ayıran duvarda buldum.

Sanırım çocukları neden diğer yakadan uzak tutmak istediklerini, anladım. Ama bana soracak olursanız, biraz fazla abartmışlar.

Oda anahtarlarının aynı zamanda takip cihazı olup olmadığını merak ettim. Böylece, bir çocuk gizlice diğer yakaya geçmeye kalktığında, ona engel olabiliyorlardı belki.

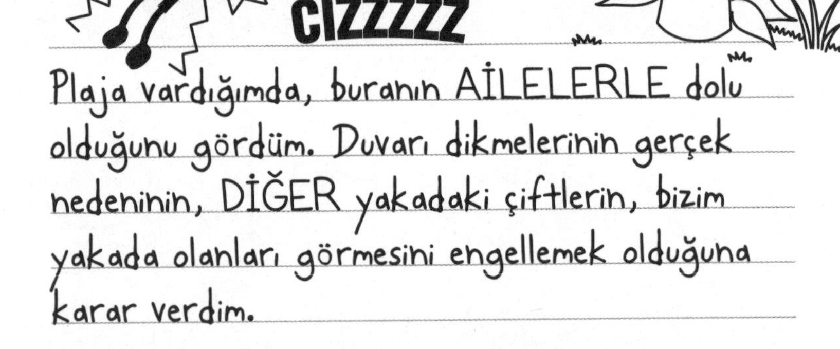

Plaja vardığımda, buranın AİLELERLE dolu olduğunu gördüm. Duvarı dikmelerinin gerçek nedeninin, DİĞER yakadaki çiftlerin, bizim yakada olanları görmesini engellemek olduğuna karar verdim.

Çünkü kendilerini neyin beklediğini görürlerse, ÇOCUK sahibi olmaktan sonsuza dek vazgeçerlerdi.

Annem, bizim için üstü kapalı localardan birini kiralamıştı. Tek bir YATAĞI ailenin geri kalan üyeleriyle paylaşma fikrine bayıldığımı söyleyemem. Ama yine de güneşten korunmuş olacaktım işte.

Plaj localarını, serviste izlediğim videodan hatırlıyordum. Videoda bir çift romantik bir şekilde günbatımını izliyordu.

Yani, otelin DİĞER yakasında öyle oluyordur ama bizim yakada hikâye çok başkaydı.

Annem, Rodrick'le bana Manny'yi tuvalete götüreceğini, bizim locada kalmamız gerektiğini söyledi. Bunun kalan son loca olduğunu, eğer biz boş bırakırsak başka birinin kapabileceğini de ekledi.

Bekleyen ailelerden biri, plaj için biraz fazla giyinmişti. Çocuklardan büyüğünü önceki günkü Hazine Dalışı'ndan hatırlıyordum. Sanırım kimse onlara bu sıcakta kışlık giysiler giymemeleri gerektiğini söylememiş.

Bu ailenin gerçekten gölge bir yere ihtiyacı var gibiydi. Kendimi biraz suçlu hissettim. Bu yüzden onlarla göz göze gelmemeye çalıştım.

Sonunda annemle Manny döndüler ve Manny deniz kabuğu toplamaya gitti.

Annem güneş yağını çıkarıp Rodrick'le bana sürmeye başladı. Babamın orada olmamasına sevinmiştim çünkü annem ne zaman onun kendi başımıza halletmemiz gerektiğini düşündüğü şeyleri yapsa, babam çok sinirlenir.

Ben her şeyin annemin planının bir parçası olduğunu düşünüyorum. Bence annem bizim çok fazla bağımsız olmamızı istemiyor çünkü o zaman kendisine İHTİYACIMIZ kalmaz. Ama bence buna pişman olacak.

Çünkü eğer böyle giderse, Rodrick ve ben üniversiteye gittiğimizde, kendi tırnaklarımızı bile kesemiyor olacağız.

Hayvanları insanlardan ayıran özelliklerden biri bu. Okulda, bir ayı yavrusu bir buçuk yaşına geldiğinde annesinin onu kendi başının çaresine bakması için ormana saldığını öğrenmiştim.

Ama insanlar on sekiz YAŞINA kadar anne babalarıyla yaşıyorlar ve ancak o zaman kendi başlarına hareket edecek hale geliyorlar.

Ben baba olunca, AYILAR gibi yapacağım. Bir kere, çocuklarıma bir sürü gereksiz şeyi, alfabeyi, renkleri, şekilleri filan öğretmekle zaman harcamam asla.

İkincisi, çocuğum karşıdan karşıya güvenle geçebilecek ve bir fast-food restoranında sipariş verebilecek kadar büyüdüğünde, evden gidecek.

Annem, Rodrick'i yağladıktan sonra ona Gençlik Alanı'na gitmesi ve kendi yaşıtlarıyla iletişim kurması gerektiğini söyledi.

Rodrick'in bunu yapacağını sanmıyordum ama bakmaya gitti. Annem de çok heyecanlandı ve bana da yaşıtım çocuklarla takılmamı, hepsinin şu anda plajda çöp avı oynadıklarını söyledi.

Ama bana kalırsa "çöp avı"nın iğrenç durumdaki plajı temizletmek için düzenlenmiş bir numara olduğu çok açıktı ve ben de bunun bir PARÇASI olmak istemiyordum.

Rodrick'in gitmesine sevinmiştim çünkü böylece locada BANA daha fazla yer kalıyordu. Ama biraz sonra, babam bembeyaz bir suratla geldi.

Onun hâlâ mide sorunlarıyla filan boğuşuyor olduğunu düşündüm ama öyle değilmiş. Odamızdaki tuvalete girdiğinde, klozetin altında kocaman bir ÖRÜMCEK gördüğünü söyledi. Demek ki ondan kurtulamamıştık.

Babama SONRA ne olduğunu sordum. Örümceğe yerdeki bornozla vurduğunu söyledi. Demek ki o bornozu bir daha ASLA giyemeyecektim.

Babama örümceği ÖLDÜRÜP öldürmediğini sordum; emin olmadığını söyledi. O vurunca, örümcek ORTADAN kaybolmuştu.

Babamın anlattıkları sonucunda, BANYOYU bir daha asla kullanmayacağım kesindi. Neyse ki havuzun kenarında bir açık hava duşu vardı.

Babam, örümcekle ilgili olanlar yüzünden çok sarsılmış görünüyordu. Annem ona uzanmasını ve derin nefesler almasını söyledi. O sırada Manny elinde kovasıyla geldi ve anneme topladıklarını gösterdi.

Sanırım annem kovada bir sürü deniz kabuğu olmasını bekliyordu ama kova ağzına kadar yengeçlerle, salyangozla ve her TÜRLÜ canlıyla doluydu.

Yaratıklar şimdi yatağımızın üzerinde dolaşmaya başlamışlardı.

Annem sürüngen yaratıkları kovaya doldurdu ve Manny'ye, bunları EVCİL hayvan olarak besleyemeyeceğini söyledi ama Manny anlamamış gibiydi. Sonra annem hayvanları serbest bırakmak için kovayı denize boşalttı.

Annemin, Manny'nin dikkatini dağıtacak bir şey bulması gerekiyordu. Küçük çocuklar için neler olduğunu görmek üzere Aktivite Park'ına gideceğini söyledi. Ben de bütün gün locada yatmak istemiyordum, bu yüzden annemle Manny'ye takıldım.

Katılmak için can attığım aktivitelerden biri, yunuslarla yüzmeydi. Bunu yapmak istememin NEDENLERİNDEN biri de eve döndüğümde, Rowley'ye gösterip hava atacağım bir şey olmasıydı.

Ama Aktivite Parkı'ndaki adam, yunuslarla yüzmenin çok popüler olduğunu ve rezervasyonların tamamen dolu olduğunu söyledi. Annem ERTESİ gün için rezervasyon yaptırıp yaptıramayacağımızı sordu. Adam da bütün haftanın dolu olduğunu söyledi.

En kötü kısım bu da değildi. Jet ski, parasailing gibi bütün EĞLENCELİ aktiviteler Vahşi Yaka'da yapılabiliyordu. Sakin Yaka'ya SIKICI aktiviteler kalmıştı.

SAKİN YAKA AKTİVİTELERİ

YUNUSLARLA YÜZME
KUŞ-İZLEME
RÜZGAR SÖRFÜ
ŞNORKEL
KANO
DOĞA YÜRÜYÜŞÜ
KAPLUMBAĞA ARAMA
MUZ KAYIK

Ama annem umursamamış gibiydi. Bizi İKİ aktiviteye yazdırdı; muz kayık ve kaplumbağa arama.

Annem ÖZELLİKLE muz kayık için heyecanlıydı. Çekilecek resmi ailece Noel kartımız olarak kullanabileceğimizi ve eve dönünce herkese gönderebileceğimizi söyledi.

Bu bana son derece SAÇMA bir fikir gibi gelmişti ama sanırım hiçbir şey Rowley'nin ailesinin geçen Noel'de gönderdiği kart kadar kötü olamaz.

Annem, gidip Rodrick'i almam gerektiğini söyledi. Ben de haritayı kullanarak Gençlik Alanı'nı bulmaya karar verdim.

Ama harita OLMADAN da bulabilirmişim sanırım.

Gençlerin bazıları havuzda voleybol oynuyordu; Rodrick de onlardan biriydi. Ancak oyun durdu çünkü kızlardan birinin dudağındaki halka ağa takılmıştı ve Rodrick de kıza yardım etmeye çalışıyordu.

Rodrick'e gitmemiz gerektiğini söyledim ama bunun için hiç acele etmiyor gibiydi. Sonunda onun benimle gelmesini sağladım ama kendisini voleybol maçından resmen SÜRÜKLEYEREK uzaklaştırmam gerekti.

Denizin kenarında diğerleriyle buluştuk. Herkes can yeleklerini giyiyordu. Annem onlara yardımcı olan çocuğa fotoğraf makinesini verdi ve biz geçerken resmimizi çekmesini istedi.

Suya girip muza bindik. Muz, bir sürat teknesine halatla bağlanmıştı. Sürücüye hazırız işareti yaptık ve yola koyulduk.

Su derinleşince, hızlanmaya başladık. Su dalgalıydı, bu yüzden tutunmak zor oluyordu. Derken büyük bir dalgaya denk geldik ve üç çocuk suya düştük. Sürücü, bizi alabilmek için geri dönmek zorunda kaldı.

Yeniden yola koyulduğumuzda, su trampleninin etrafından dolaştık. Çocuklar muz kayığı HEDEF olarak kullanmaya başladılar.

Derken aptal bir çocuk güm diye bizim kayığın ortasına indi ve muzu DELDİ.

Muz kayığın havası hızla inmeye başladı; sürücü bizi kıyıya geri götürmek zorunda kaldı. Annemin fotoğraf makinesini verdiği çocuk bir resim çekmişti ama bunu Noel kartı olarak kullanacağımızdan şüpheliyim.

Kurulandığımızda, annem öğle yemeği yememiz gerektiğini söyledi. Ama uçaktaki çift bizim locamıza yerleşmişti bile. Yine dışarıda yemek yemek de hiç iyi bir fikir gibi gelmiyordu.

İki GÜNDÜR doğru dürüst yemek yemediğimizi fark etmiştim ve hayvanların yiyeceklerime saldırdığı hiçbir yerde bir şey yemek istemiyordu canım.

Babam, golf kulübüne gidebileceğimizi söyledi çünkü otelin tek kapalı restoranı oradaydı. Herkes bu fikre bayılınca oraya doğru yürüdük.

Ancak kulübe geldiğimizde, yönetici bize servis yapamayacaklarını söyledi. Kulüpte giysi zorunluluğu olduğunu, erkeklerin yakalı gömlek, kadınların da elbise giymek zorunda olduğunu anlattı.

Babam, yöneticiye bizde bunların olmadığını söyledi. Adam da hepsini oteldeki dükkândan almamızı önerdi. Ancak babam gömleklerin tanesinin elli dolar olduğunu ve sırf yemek yiyebilmek için dört gömlek alamayacağını bildirdi.

Bunun üzerine yemek yiyecek başka bir yer bulmak zorunda kaldık. Rodrick, Gençlik Alanı'nda sosisli sandviç yemek istiyordu ama annem AİLECE yemek yememizi istediğini söyledi.

Havuz barda hamburger ve patates kızartması servisi yaptıklarından emindim; bu yüzden oraya gittik. Ancak siparişlerimizi verdikten sonra, havuzda yemek yemenin de pek iyi bir fikir olmadığını düşünmeye başladım. Tanımadığın bir sürü insanla küvette yemek yemek gibiydi.

Üstelik sadece İNSANLAR da yoktu. Barın öbür ucunda bir MAYMUN oturuyordu.

Babam bardaki görevliye maymunu sordu, o da bize acıklı hikâyeyi anlattı. Bu maymunun eskiden DİĞER maymunlarla beraber oteldeki büyük bir ağaçta yaşadığını ve onların lideri gibi olduğunu söyledi. Ama sonra daha GENÇ bir maymun gelmiş ve onu ağaçtan kovmuş.

Maymunun gidecek yeri yokmuş, bu yüzden bir gün bara gelmiş ve insanlar ona içecek ısmarlamaya başlamışlar. O zamandan beri her gün buraya geliyormuş.

Böyle bir hikâyeyi dinledikten sonra ne düşüneceğimi bilemiyordum.

Tek bildiğim, maymunlu bir suda oturup yemek yemekten hiç keyif almadığımdı.

Televizyonda önemli bir maç vardı ve bardaki herkes maçı izliyor gibiydi. Ancak Manny bir şekilde uzaktan kumandayı ele geçirdi ve kanalı değiştirip bir çocuk programı açtı.

Herkes Manny'nin yine spor kanalını açmasını istiyordu ama Manny en sevdiği çocuk programını izlemekte ısrarcıydı ve inanın bana bu konuda KİMSENİN yapabileceği bir şey yoktu.

Bardaki insanlar SAVAŞA hazırdılar; bu yüzden annem Manny'yi kaptı ve ben hamburgerimi bitiremeden oradan uzaklaştık.

Rodrick Gençlik Alanı'na geri döndü. Annemle babam da Manny'yi biraz uyuması için odaya götürdüler.

Ben yeniden odaya gitmek ve ÖRÜMCEKLE yüzleşmek istemiyordum, bu yüzden günün geri kalanını oyun salonunda oyalanarak geçirmeye karar verdim.

Hazine Dalışı'ndan kazandığım bozuk paraları iki buçuk saatte bitirdim. Ama oyun salonunda bütün paralarını bitirmeden GÜNLERCE kalabilecek çocuklar vardı.

Hava kararmaya başladığında, odaya dönmemin iyi olacağını düşündüm. Ama yolda annem, babam ve Manny ile karşılaştım.

Annem, plajda şenlik ateşi yakılacağını, sonra kaplumbağa arayanları izleyeceğimizi söyledi. Ama önce RODRICK'i bulmamız gerekiyordu.

Bu kez onu aramak için hep birlikte GENÇLİK ALANI'na gittik. Ancak hava iyice kararmıştı ve Rodrick'i görmek çok zordu. Sonunda gördük ama onun bizi gördüğüne hiç sevinmediğine eminim.

Plajda, annem Rodrick'e bunun bir AİLE tatili olduğunu, "gençlik aşkı" için doğru zaman ya da yer olmadığını söyledi.

Rodrick de o kızla yaşadıklarının CİDDİ olduğunu ve birlikte olabildiğince çok zaman geçirmeyi planladıklarını söyledi.

Biraz şaşırmıştım çünkü Rodrick'in otelde birkaç gün geçirdikten sonra, aşk fikrine hiç sıcak bakmayacağını sanıyordum. Kim bilir? Belki o da bir gün bu otele KENDİ ailesiyle birlikte gelir.

Plajda bütün aileler şenlik ateşinin etrafında toplanmışlardı. Ancak tabii bu deneyim de BÖCEKLER yüzünden hiç eğlenceli değildi. Önce ağzımıza ve gözlerimize giren sinekler vardı.

Sonra ayak bileklerimizi ısıran kum pireleri geldi. Ardından da neredeyse kuş büyüklüğündeki SİVRİSİNEKLER üşüştü.

Buraya kim cennet dediyse, müthiş bir mizah gücü varmış sanırım. Bizim orada, besin zincirinin ilk sırasında insanlar yer alır. Ama Mercan Adası'nda her şey İNSANLARI yiyordu.

Odaya gitmeye çoktan razıydım çünkü hiç değilse ORADA tek bir böcekle uğraşmak zorunda kalıyordum. Ancak o sırada doğa rehberi geldi ve kaplumbağa arama aktivitesine kaydolan herkesin onu takip etmesi gerektiğini söyledi.

Doğa rehberi bize neler göreceğimizi açıkladı. Bir anne kaplumbağanın kumullarda delik açtığını, yumurtalarını oraya bıraktığını ve birkaç ay sonra, yumurtaların KIRILDIĞINI söyledi. Ondan sonra yavru kaplumbağalar okyanusa açılıyorlardı.

Bize kumullara gömülmüş beyaz yumurta yığınlarını gösterdi ve böyle bir sürü YIĞIN olduğunu söyledi. Sorun, yumurtaların ne zaman KIRILACAĞINI tam olarak bilememenizdi.

Dışarısı KARANLIKTI, ben de yanlışlıkla bir yumurtanın üzerine basmaktan korkuyordum. Bu yüzden, yoldan çekilmek için geri geri birkaç adım attım ve bunu yaptığımda, ayağımın altında bir şeyin ezildiğini hissettim.

Neyse ki sadece bir deniz kabuğuydu. Ama yine de yüreğim ağzıma gelmişti.

Genel olarak sürüngenlere bayıldığım söylenemez ama kaplumbağaların benim için istisna olduğuna karar verdim.

Şunu kabul edelim: O gece yavru kaplumbağaları aramaya çıkmamızın tek nedeni çok SEVİMLİ olmalarıydı.

İnanın bana, eğer YILAN yumurtası kırılmasını izlemeye çıksaydık, durum çok farklı olurdu.

Tam anneme bundan vazgeçip odamıza dönmeye hazır olduğumu söylemek üzereydim ki, yumurtalar teker teker kırılmaya başladı.

Herkes çok heyecanlanmıştı, ama doğa rehberi bize sessiz olmamızı ve kenara çekilmemizi söyledi. Kaplumbağaların yollarını suya yansıyan ay ışığına bakarak bulduklarını da ekledi.

Ancak herkes doğa rehberini duymazdan geldi ve cep telefonlarına sarıldı. Kamera ışığı da kaplumbağaların her tarafa dağılmalarına yol açtı.

Annem çok coşkuluydu, "hayatın mucizesi"ne tanık olduğumuzu söyledi. Rodrick'in nerede olduğunu sordu ama hiçbirimiz bilmiyorduk. Babam, Rodrick'i en son kumulların oradaki uzun otların arasında gördüğünü söyledi.

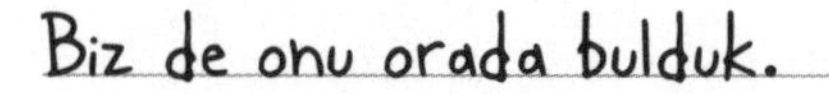

Biz de onu orada bulduk.

Gece böyle bitmeliydi ama bitmedi. Odamıza döndüğümüzde, Manny'nin yavru kaplumbağalardan birini kimsenin görmediği bir sırada cebine attığını fark ettim. Bunun üzerine babam yeniden plaja kadar yürüyüp kaplumbağayı serbest bırakmak zorunda kaldı.

Perşembe

Sanırım annem ailece tatilimizin gidişatından pek memnun değildi; çünkü kahvaltıdan sonra bugünü kendine "spa günü" ilan ettiğini söyledi.

Bu bana HARİKA bir fikir gibi geldi. Anneme ona katılacağımı söyledim. Hep masaj yaptırmak istemiştim ve bu benim için büyük bir fırsattı.

Ancak annem KENDİNE zaman ayırmaya ihtiyacı olduğunu ve bizim kendi başımızın çaresine bakmamız gerektiğini söyledi. Bu, Manny'ye göz kulak olmamız anlamına geliyordu.

Annem gidince, üçümüz ne yapacağımıza karar vermeye çalıştık. Manny ile başa çıkmak çok zordu. Bu yüzden onu Çocuk Kulübü'ne bırakmayı önerdim. Böylece onunla kulüpteki görevliler ilgilenirdi.

Babam bu fikri sevdi çünkü kendi de spor salonunda egzersiz yapmak istiyordu. Rodrick'le bana, Manny'yi Çocuk Kulübü'ne götürme görevini verdi ve gitti.

Yolumuz, bizim tarafı Vahşi Yaka'dan ayıran duvarın önünden geçiyordu. Sanırım bazı çocuklar orada neler olup bittiğine göz atmaya çalışıyorlardı gizlice ama bahçe görevlileri buna engel oldular.

Rodrick'e diğer tarafta ne olduğunu düşündüğünü sordum, o da zaten BİLDİĞİNİ söyledi. Gençlik Alanı'ndaki arkadaşlarından bazıları, diğer tarafta her türden ÇILGINCA şey olduğunu söylemişlerdi. İnsanların üzerlerine hiçbir şey giymeden güneşlendikleri bir plaj bile vardı.

Rodrick, duvarda bir delik olduğunu ve buradan diğer tarafın görülebildiğini söyledi. Ama Rodrick'in beni kandırmaya çalıştığını biliyordum çünkü daha ÖNCE de bana böyle şeyler söylemişti.

Bir yaz, kasabanın havuzundayken, bana eğer duvarın üzerinden bakarsam kadınların soyunma odasını görebileceğimi söylemişti.

Ben de ona İNANDIM ve o zamandan beri bu görüntüyü zihnimden silmeye çalışıyorum.

Manny'yi Çocuk Kulübü'ne götürdüm. Çocuklar içeride kukla yapıyorlardı. Görevliye, küçük kardeşimizi günü geçirmesi için Çocuk Kulübü'ne bırakacağımızı ve daha sonra gelip alacağımızı söyledim.

Rehber bize bunun için tek şartın çocuğun tuvalet eğitiminin tamamlanmış olması olduğunu söyledi. Ben de Manny'nin eğitimli olduğunu söyledim.

Ancak Manny kukla yapmayı hiç istemiyordu galiba çünkü kendini bundan kurtardı.

Rodrick, Manny'ye BENİM göz kulak olmam gerektiğini çünkü kendisinin Gençlik Alanı'ndaki aktivitelere bakacağını söyledi. Ama onun amacının kızla buluşmak olduğunu biliyordum.

Manny ile baş başa kalmaktan hiç mutlu değildim. Onu plaja götürmek istemiyordum çünkü yine evcil hayvan toplamaya başlardı.

Ben de onu Korsan Oyun Alanı'na götürdüm. Küçük çocuklar için bir yerdi burası.

Gerçekten MÜKEMMELDİ çünkü şezlongda dinlenirken bir yandan da oyun oynayan Manny'ye göz kulak olabiliyordum. Hatta yanımdan geçen garsondan ızgara peynirli sandviçle patates kızartması bile istedim.

Ancak yemeğimin tadını çıkaramadım. Çünkü minyatür korsan gemisindeki çocuklar, eğer su toplarından birini engellerlerse, diğerlerinin İKİ kat uzağı vurabildiğini keşfetmişlerdi.

Ben de daha uzaktaki şezlonga geçtim. Ama oturduğumda, Manny'yi hiçbir yerde göremediğimi fark ettim. Sonunda onu çocuk havuzunda buldum.

Gidip onu almam gerektiğini biliyordum ama BUNU hiç istemiyordum. Havuzda o kadar çocuk olduğu düşünülürse, suyun NASIL olduğunu tahmin edebiliyordum.

Ben küçükken SÜREKLİ çocuk havuzuna işerdim. Hatta havuzu lazımlık olarak kullanırken çekilmiş, çerçeveli bir resmim var.

Annem benim en sevdiği resmimin bu olduğunu söylüyor çünkü çok MUTLU görünüyormuşum. Ama ona NEDENİNİ söylemedim hiç.

Bir yaz, havuza biri işediğinde bunu yeşile çeviren bir kimyasal atmışlardı. Böylece ben de bir DAHA yapamadım.

Manny'yi suya girmeden almanın bir yolunu bulmalıydım. Ben de bir sal ve sosis buldum ve Manny'ye doğru yüzdüm.

Ama daha yolun yarısına gelmiştim ki, bir grup çocuk benim salıma tırmanmanın çok eğlenceli olacağına karar verdiler. Onlarla sosisi kullanarak mücadele etmeyi denedim ama karşımda çok fazla MANNY vardı.

Derken beni DEVİRMEK için birlik oldular.

Manny'yi havuzdan çıkardım ve açık hava duşunun altına koşup yirmi dakika boyunca vücudumun her santimetrekaresini ovaladım.

Ancak kurulanmayı bitirdikten beş dakika sonra, yeniden ISLANDIM. Korsan gemisindeki çocuklar, eğer İKİ topu engellerlerse, EPEY uzağa atış yapabileceklerini keşfetmişlerdi çünkü.

İKİNCİ kez kurulanmaya çalışırken, annemle çarpıştık. Annem spada geçirdiği sabahın ardından yepyeni bir insan gibi görünüyordu.

Masaj yaptırırken, aklına HARİKA bir fikir geldiğini, ailece birlikte nasıl zaman geçireceğimizi bulduğunu söyledi. Hepimiz için özel bir tekne gezisi ayarlamıştı ve tekne yarım saat içinde iskelede olacaktı.

Pek fazla zamanımız yoktu, bu yüzden ayrılıp babamı ve Rodrick'i aramak zorunda kaldık. Anneme, babamın spor salonunda olduğunu söyledim, o da bakmaya gitti.

Rodrick'i tam da tahmin ettiğim yerde buldum ve inanın bana, onu aramaya annemi göndermediğim için bana çok şey borçlu.

Annem ve babamla iskelede buluştuk. Babam, anneme biraz bozuldu çünkü tekne kiralamak epey pahalıya malolmuştu. Ama annem buna DEĞDİĞİNİ çünkü bu gezinin tatilimizin en güzel anısı olacağını söyledi.

"Tekne" sözcüğünü duyunca, aklıma yat ya da yelkenli geliyor.

Ama annemin kiraladığı tekne hiç de özel bir şeye benzemiyordu.

Tekne, özel kaptanıyla gelmişti ve bu BİR ŞEYDİ. Bindiğimizde, kaptan bize can yeleklerini dağıttı. Bunları giydikten sonra iskeleden uzaklaştık.

Fark ettiğim ilk şey, teknenin zemininin cam olduğuydu. Bu da BENİ rahatsız ediyordu.

Tekne çok sağlam görünmüyordu zaten. Ben de zeminin çatlayacağından ve hep birlikte okyanusun dibini boylayacağımızdan korktum.

Hatta bana kalırsa, gemi kazalarının %50'si, zeminin bizimki gibi cam olmasından kaynaklanmış olabilir.

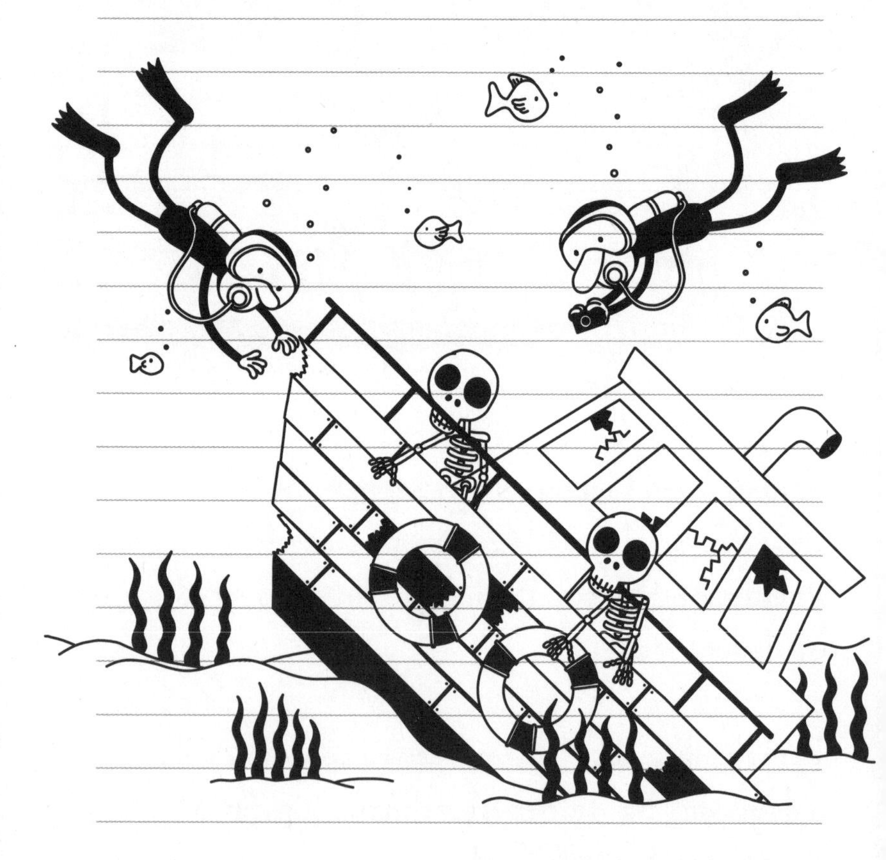

Okyanusa açıldığımızda, kaptan anneme nereye gitmek istediğini sordu. Keşfedebileceğimiz özel adalar olduğunu söyledi. Annem de ONLARDAN birine gitmek istedi.

Ama bu adaların o kadar "özel" olmadığı çıktı ortaya. Biz de yanaşma zahmetine katlanmadık hiç.

Kaptan yakınlarda genellikle pek kalabalık olmayan bir kayalık olduğunu, orada şnorkelle dalabileceğimizi söyledi.

Bu, etrafımızda bir sürü BAŞKA şey yüzerken gerçek okyanusa girmemiz anlamına geliyordu ve bu fikri hiç sevmemiştim. Ama diğerleri umursamamış görünüyorlardı.

Kayalığa ulaştığımızda, kaptan demir attı ve her birimize birer şnorkel, maske ve palet uzattı.

Ona kendimizi köpekbalıklarından korumak için ZIPKINININ ya da başka silahlarının olup olmadığını sordum.

Köpekbalıklarının kayalıklara yaklaşmadıklarını söyledi. Ben de, eğer savunmasız bir ailenin yakınlarında yüzdüğünü fark ederlerse, bir istisna yapabileceklerini söyledim.

Kaptan, köpekbalıklarının kayalıklara yaklaşmamalarının nedeninin mercanın sivri olması olduğunu, BİZİM de buna dokunmak istemeyeceğimizi anlattı.

İLK kırmızı bayraktı bu. Ama durum daha da kötüleşti.

Kaptan etrafta dikenli uyuşturanbalıkları görme olasılığımızın çok yüksek olduğunu söyledi. Yüzgeçlerine dokunmamızda sakınca yoktu ama parmaklarımızı ağızlarına sokmamamız gerekiyordu çünkü yemek sanıp ısırabilir ve koparabilirlerdi.

Sonra uyuşturanbalıklarının kuyruklarının zehirli olduğunu açıkladı, ONLARA dokunurken de dikkat etmeliydik.

Kaptanın söyleyecekleri henüz bitmemişti. Dikkat etmemiz gereken BAŞKA şeyler de olduğunu ekledi. Sonra bize hepsini bir tabloda gösterdi.

Gerçekten çok korkutucu şeyler vardı ama beni asıl korkutanlar EN BÜYÜK yaratıklar değil, EN KÜÇÜK olandı. O da ÖLÜMCÜL DENİZANASI idi.

Bunu "Dünyanın En Korkunç Yaratıkları" adlı TV programında görmüştüm. Listenin en başında ölümcül denizanası vardı. Bu hayvan sizi soktuğunda kalbiniz durabiliyordu ve işiniz bitiyordu.

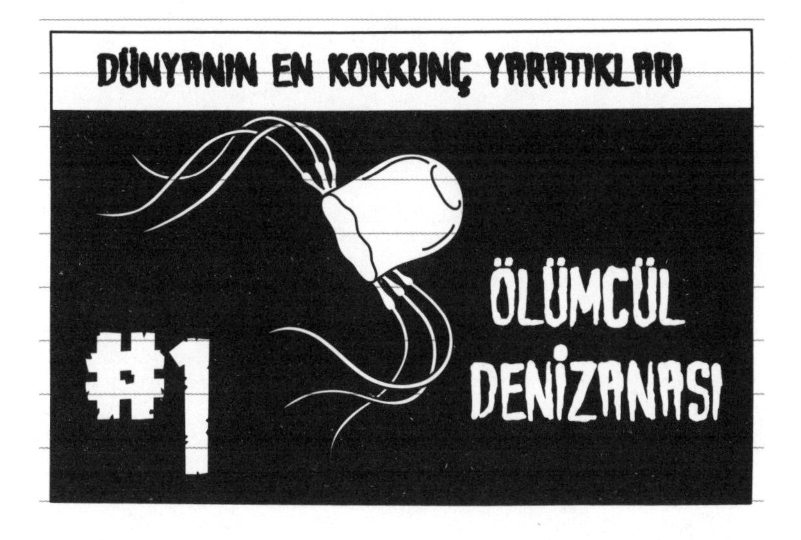

Anneme, sırf birkaç balık göreceğiz diye hayatımızı riske atmaya gerek olmadığını söyledim. Sanırım korktuğumu anlamıştı ama bu kadar kolay pes etmeme izin vermek istemiyordu.

Suda sadece ailece bir resim çektirene kadar kalabileceğimi, sonra tekneye dönebileceğimi söyledi.

Annem hâlâ Noel kartı için resim çektirmek istiyordu ve "hayır"ı cevap olarak kabul etmeyeceğini biliyordum.

Anneme suda TEK bir resim çektirecek kadar kalacağımı, eğer biri gözünü filan KIRPARSA şansına küsmesi gerektiğini söyledim. Kabul etti, sonra teker teker suya girdik. En son giren bendim.

Kaptan, annemin fotoğraf makinesini nasıl çalıştıracağını bilemedi ve bir türlü fotoğraf ÇEKEMEDİ.

Altımda neler yüzdüğünü bilmeme duygusu hiç hoşuma gitmiyordu. Ben de suyun altına göz attım. İyi ki bunu yapmışım, çünkü gerçekten MÜTHİŞTİ. İnsanların dalmayı neden bu kadar sevdiklerini şimdi anlıyordum.

Mavi ve yeşil balıklardan oluşan büyük bir sürü etrafımı sardı; balıklar her tarafa yayılıyorlar, sürekli yön değiştiriyorlardı.

Önce bunun MÜTHİŞ olduğunu düşündüm ama sonra hayvanların AVCILARINDAN kaçmaya çalışırken böyle davrandıklarını hatırladım.

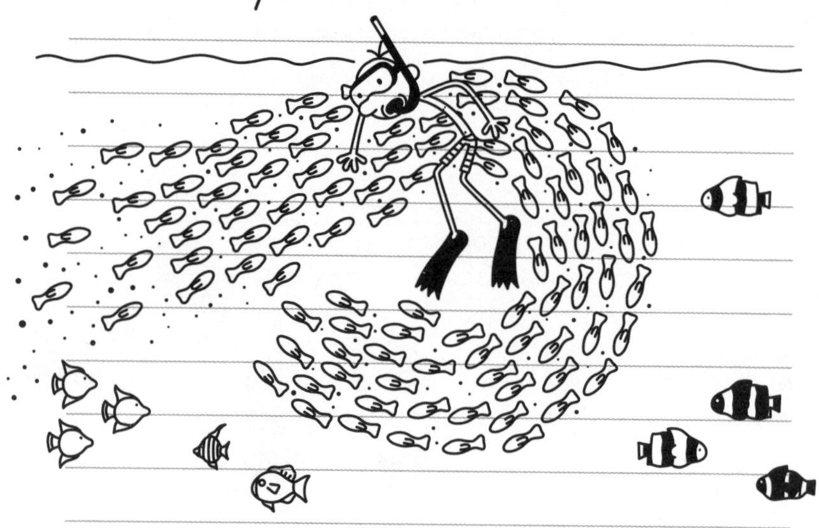

Suyun altında hiç köpekbalığı görmüyordum; bu yüzden YÜZGEÇ görebilir miyim diye suyun yüzeyini taramaya başladım.

Kaptan sonunda annemin fotoğraf makinesini çalıştırmayı başardı. Artık resim çekmeye hazırdı ama ben tekneye doğru yüzmeye başlamıştım bile.

O sırada tam maskemin önüne bir denizatı geldi ve beni şaşırttı. Şnorkelim suyun altına düştü ve ben de yanlışlıkla BİR SÜRÜ su yuttum. O sırada denizatını da yuttuğumdan %95 eminim.

Müthiş bir paniğe kapılmıştım. Sanırım kaptan beni tekneye çekmeseydi boğulabilirdim.

Tekneye bindiğimde, bir sürü su tükürdüm ama denizatı yoktu.

Annem ne olduğuna bakmak için tekneye çıktı. Benim iyi görünmediğimi fark etti ve kaptana geri dönmemizi, beni doktorun görmesini istediğini söyledi. Herkes bindikten sonra, dönüş yoluna koyulduk.

Deniz çalkantılıydı ve midem bulanmıyor OLSAYDI bile şimdi bulanırdı.

Sonunda bitti ve kaptan bizi iskelede indirdi.

Otel doktorunu aramıştı bile. Doktor bizi bekliyordu. Ona olanları anlattığımda, beni midemin röntgenini çektirmek üzere en yakındaki, hastaneye göndereceğinden emindim.

Ama adam beni muayene etti ve iyi göründüğümü söyledi. Sonra denizatı yutmuş olmamın münkün olmadığını, bir şeyimin kalmayacağını da ekledi.

Doktorun meseleyi bu kadar hafife almasından hoşlanmamıştım. Adam anne ve babamla, benimle ilgilendiğinden daha çok ilgilenmişti neredeyse.

Annemle babama şöyle bir baktı ve ikisini de deniz tutmuş olabileceğini söyledi. Onlara birer tane hap verdi ve biraz dinlendikten sonra kendilerini daha iyi hissedeceklerini belirtti.

Tek söyleyebileceğim şey şu: Eğer daha sonra bana bir şey olursa, umarım bu doktor aslında BİR ŞEY yapabileceğini ama YAPMADIĞINI bilir.

Annemle babam havuzun kenarında boş şezlonglar bulup dinlenmek için oturdular.

Ama sonra Eğlence Müdürü konga grubuyla geldi ve bizi de katılmaya zorladı.

Laftan anlamıyor, etrafımızda dolaşıp duruyordu. Ama Manny'nin kovasında bir şey görünce donakaldı.

BANA suda yüzen şeffaf naylon torba gibi görünmüştü. Ama Eğlence Müdürü onu kaldırıp yakından baktı.

Naylon torba filan DEĞİLDİ bu. DENİZANASI idi. Üstelik sıradan bir denizanası da değildi. ÖLÜMCÜL denizanasıydı.

Eğlence Müdürü, en yakındaki cankurtarana koştu, cankurtaran da düdüğünü çalmaya başladı. Derken diğer cankurtaranlar düdüklerini çalmaya başladılar. Daha önce insanların havuzu bu kadar hızlı boşalttığını görmemişsinizdir.

Annemle babam, bizim de oradan uzaklaşmamızın iyi olacağına karar verdiler.

Odaya dönerken, Rodrick'in bizimle olmadığını fark ettik. Annem onun yine o kızla takılıyor olabileceğini düşündü ama Gençlik Alanı'na gittiğimizde Rodrick orada yoktu.

Derken BİR SÜREDİR kimsenin Rodrick'i görmediğini fark ettik. Hatta onun kayalıklardan dönerken teknede olduğunu bile hatırlamıyordum. Annemle babam da hatırlamıyorlardı.

Bu da Rodrick'in hâlâ ORADA olduğu anlamına geliyordu.

Olabildiğince hızlı bir şekilde iskeleye koştuk. Tekne başka bir geziye çıkmıştı ama annem muz kayığı kullanan adamla konuştu ve ona olanları anlattı. Sürat teknesine bindik ve adam bizi kayalığa götürdü.

Tabii ki Rodrick'i tam bıraktığımız yerde bulduk. YAŞIYORDU ama ISTAKOZ gibi kızarmıştı.

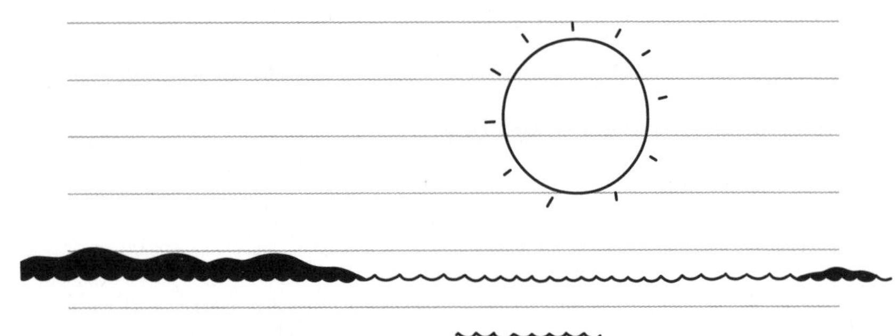

Otele döndüğümüzde doktor, Rodrick'in güneş zehirlenmesi yaşadığını ve bol su içip dinlenmesi gerektiğini söyledi. Sonra anneme Rodrick'in yanıklarına sürmesi için bir şişe aloe verdi.

Ancak aloe'nin Rodrick'e bir faydası olmamış gibiydi. Annem, babamı işe yarayacak bir şey alması için markete gönderdi. Biz de gecenin yarısını Rodrick'in sırtına dondurma sürerek geçirdik.

Cuma

Ertesi sabah, babam bir kutu daha dondurma almaya gitti ve haberlerle döndü. Denizanasını bulmak için havuzun bütün suyunu boşalttıklarını ve şimdi yeniden doldurmaya başladıklarını söyledi. Ancak tekrar kullanılabilmesi için ÜÇ gün geçmesi gerekiyordu.

Tatilin geri kalanında odamızda saklanmamızın akıllıca olacağını düşündüm çünkü insanlar herkesin tatilini mahvettiğimiz için bizi arayacaklardı mutlaka. Ama annem zamanımızın geri kalanını kapalı kapılar ardında geçiremeyeceğimizi söyledi.

Babama, Manny'yi Korsan Oyun Alanı'na götürmesini, bana da Oyun Alanı'nda hangi aktiviteler olduğuna bakmamı söyledi.

Oraya tekrar gitmek istemiyordum ama sanırım bu örümcekle yeniden karşılaşma riskine girmekten daha iyiydi.

Oyun alanına gittim, aktivitenin bilgisayar oyunu yarışması filan olmasını umuyordum. Ama rehber herkesi TENİS oynamaya çağırıyordu.

Önce geri dönmeyi düşündüm çünkü hiç terleyecek havamda değildim.

Sonra Rodrick'in kasaba kulübünde tenis oynadığını hatırladım ve ben de öğrenirsem eğlenceli olacağını, böylece yazın birlikte oynayabileceğimizi düşündüm.

Oyunu organize eden rehberin adı Rodrigo idi. Bizi tenis kortlarına götürdü.

Rodrigo'nun kalıp bize nasıl oynayacağımızı öğreteceğini düşünmüştüm. Ama biz korta girer girmez kapıyı kilitledi.

Böylece bu "aktivitelerin" çocukları anne babalarının ayak altından uzaklaştırmak için bir numara olduğunu fark ettim.

Tenis kortu dev bir KAFESTİ ve hepimiz bir buçuk saat boyunca hapsedildik. Tenis de oynayamadık çünkü Rodrigo bize RAKET bırakmamıştı.

Ama TOP bırakmıştı. Kortun ortasında bir sepetin içinde yüzlerce top vardı. Önce atıp tutmaca oynadık ama çok geçmeden ortalık savaş alanına döndü.

Ben, yüzüne top gelmesini istemeyen birkaç çocukla birlikte çitin arkasına saklandım. Ama bu bizi HEDEF haline getirmekten başka işe yaramadı.

Bunun üzerine biz de KARŞILIK verdik. Biri top makinesinin nasıl açıldığını öğrendi ve bunu kendimizi savunmak için kullandık.

Ben böyle şeylerde kazanan taraf olmam hiç ama şunu söylemeliyim: Çok EĞLENCELİYDİ.

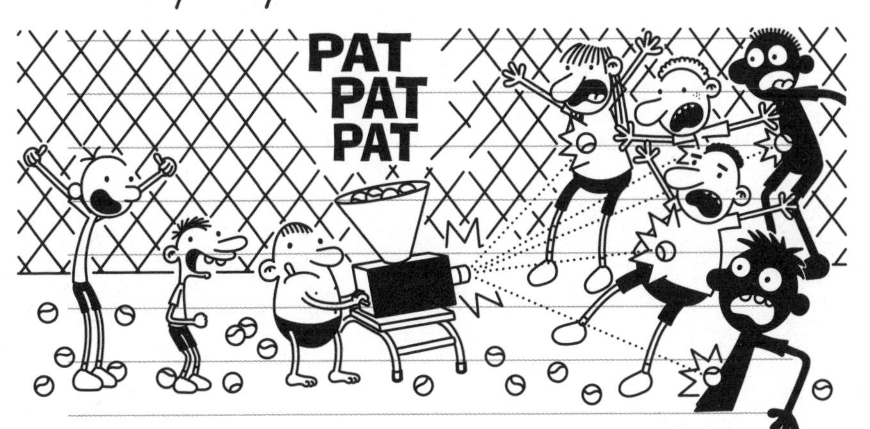

Ama birden her şey acı bir şekilde sona erdi. Önceki gün konga kuyruğunda gördüğüm çocuklardan biri, herkese havuzun suyunun boşaltılmasının BENİM ailemin suçu olduğunu söyledi.

Herkese bunun büyük bir kaza olduğunu ve kardeşimin evcil hayvan olarak denizanası istediğini açıklamaya çalıştım. Ama sanırım herkes havuz meselesi yüzünden çok öfkeliydi ve suçlayacak birini buldukları için sevinmişlerdi.

Oradan ÇIKMAK zorundaydım ama kapı kilitliydi. Tek çare TIRMANMAKTI.

Okulda beden eğitimi dersinde, spor salonundaki duvara bile tırmanamazdım. Ama şimdi hayatım tehlikedeydi, ben de tellere Örümcek Adam gibi tırmandım.

Telleri aştıktan sonra, yardım istemek için rehberlerin binasına koştum. Ama Rodrigo pek yardım edecek gibi değildi.

Kendimi dışarıda güvende hissetmiyordum artık, bu yüzden odamıza doğru koşmaya başladım.

Gittiğimde, ailedeki herkes odadaydı.

Çok kötü bir haldeydik. Ben odadan çıkmak istemiyordum, Rodrick de zaten güneşe çıkamıyordu.

Annem, tatili yarıda kesip sabah erkenden eve dönmemizin iyi olabileceğini söyledi. Ama babam bu tatil için bir sürü para ödediğimizi ve hiç değilse BİR doğru dürüst yemek yemeden otelden ayrılmayacağını söyleyerek karşı çıktı.

Aptal kuşlar yüzünden hiçbirimiz dışarıda yemek yemek istemiyorduk. Golf kulübünde de yiyemezdik çünkü uygun kıyafetimiz yoktu.

O sırada, odanın diğer tarafında bir gürültü oldu.

Başkasına ait olan bavul yerde açıldı. İçi giysi doluydu!

Bu bavul bizim gibi bir aileye ait olmalıydı çünkü içi her boy ve bedende çeşit çeşit giysilerle doluydu.

Üstelik sadece plaj giysileri yoktu. Kiliseye ya da şık bir restorana giderken giyilebilecek giysiler de vardı.

Babama baktım ve onun da benimle aynı şeyi düşündüğünü anladım. Bu giysiler, bizim golf kulübüne giriş biletimizdi.

Annem başkalarının giysilerini giymekten rahatsız olacağını söyledi. Ama babam bunları kullandıktan sonra hepsini bavula koyup ait olduğu aileye ulaştıracağımızı söyledi.

Sanırım bu, annemin kendini daha iyi hissetmesini sağlamıştı. Biz de giysileri denemeye başladık. Aramızda kendine göre giysi bulamayan tek kişi RODRICK idi. Ancak annem onun sadece güneşten korunması gerektiğini söyledi ve bir bornozla üzerine giymesi için gömlek verdi.

Şunu söylemeliyim: Odadan çıktığımızda MÜTHİŞ görünüyorduk. Rodrick'in kıyafetinin bile kendine göre bir tarzı vardı.

Golf kulübüne doğru yürüdük. Beni tanımasınlar diye çocuklarla göz göze gelmemeye çalışıyordum. Bir aksilik çıkmadan restorana ulaştık.

BU kez bizi içeri aldılar. Ben de hayatımın en güzel yemeğini yedim.

Tatlıyı bitirdikten sonra, hiçbirimiz odaya dönmek istemiyorduk. Biz de golf oynamayı deneyerek biraz eğlendik.

İşin gerçeği, ailece bu kadar güzel zaman geçirmemiştik HİÇ. Bir an bu ailece tatilin amacına ulaştığını düşündüm.

Ancak şunu da öğrendim: Güzel olan hiçbir şey SONSUZA dek sürmüyor. Bir güvenlik görevlisi golf arabasıyla geldi ve inip bize doğru yürüdü. Onunla gitmemiz gerektiğini söyledi.

Babam NEDENİNİ sordu. Güvenlik görevlisi de restorandaki bir başka ailenin bizim onların GİYSİLERİNİ giydiğimizi söyleyerek şikâyetçi olduğunu açıkladı.

Bir an ne yapacağımızı bilemedik. O sırada havaalanında öğrendiklerimi hatırladım. Başı derde giren Heffley KAÇAR.

Güvenlik görevlisinin arabasının sürücü koltuğuna oturdum. Bizimkiler de bindiler ve güvenlik görevlisini geride bırakarak yola koyulduk.

Ancak golf arabası pek de iyi bir kaçış arabası değilmiş, özellikle yokuş tırmanırken.

Güvenlik görevlisi bir dakika sonra bize yetişti. Terlememişti bile.

Bizden odamıza dönmemizi ve bavulu asıl sahibi olan aileye vermemizi istedi. Giydiğimiz giysileri de geri vermemiz gerekiyordu. Şunu söyleyebilirim: Bunu yaparken pek gurur duyduğumuz söylenemezdi.

Şahsen ben utancın gayet YETERLİ bir ceza olduğunu düşünüyorum. Ama güvenlik görevlisi, bu otelde hırsızlığın hoş görülemeyeceğini, bir an önce eşyalarımızı toplayıp otelden ayrılmamız gerektiğini söyledi.

Babam gerçekte OLUP bitenleri açıklamaya çalıştı ama adam dinlemiyordu. Eşyalarımız toplanınca, bizi havaalanına KENDİ bıraktı.

Havaalanına vardığımızda, babam havayolu şirketinin müşteri hizmetleri masasına gitti ve onlara bir gün erken uçmak istediğimizi söyledi.

Ama müşteri hizmetleri görevlisi kadın, o günkü biletlerin tamamının satılmış olduğunu ve eve dönmek için ertesi akşamı beklemek zorunda olduğumuzu anlattı.

Bu büyük bir sorundu çünkü gece KALACAK yerimiz yoktu.

Babam havaalanı otelini aradı, tek bir oda olduğunu söylediler. Biz de tatilimizin son gecesini küçücük bir odada geçirdik. Ben Rodrick'le bir çekyatta yatmak zorunda kaldım. Rodrick de vücuduna sürülen dondurmalar yüzünden yapış yapıştı.

Cumartesi

Sabah uyandığımızda, bizi çok uzun bir gün bekliyordu. Uçağımız saat sekizde kalkacaktı ve havaalanında yapılabilecek hiçbir şey yoktu. Ancak kahvaltıda annemle babam bizi şaşırttılar.

Günü geçirmek için otele GERİ döneceğimizi söylediler.

Annemle babam önceki gece konuşmuşlar ve her şeyin böyle sona ermesi ikisinin de hoşuna gitmemiş. Her şeyi düzeltip iyi bir şekilde ayrılmaya karar vermişler.

Annem, en önemli şeyin o aile fotoğrafını çektirmemiz olduğunu söyledi. Plajdaki en UYGUN yeri bildiğini ve otele varır varmaz oraya gideceğimizi söyledi.

Bunun çılgınca bir fikir olduğunu düşünüyordum, bizi resepsiyondan bile geçirmezlerdi. Ama babam bir planının olduğunu ve otele varana kadar anlatmayacağını söyledi.

Otele giden bedava servis otobüsüne bindik ve yine aynı videoyu izledik. Her şeyin bu kadar EĞLENCELİ görünmesinin nedeninin gerçek AİLELERİ göstermemeleri olduğunu fark ettim.

Otobüsten indiğimizde, babam bize içeri girmek için yaptığı planı anlattı. Pek de etkileyici bulmadığımı söylemeliyim.

Ama gerçekten İŞE YARADI. Lobiden geçince, havuza gittik. Etrafta pek kimse yoktu çünkü havuzu hâlâ dolduruyorlardı.

Çok geçmeden herkesin nerede olduğunu ANLADIK. Plajdaydılar. Ancak o kadar kalabalıktı ki kimse gerçekten EĞLENİYOR gibi görünmüyordu.

Annem aile fotoğrafını çektirmek istedi ama başka insanların kareye girmesini istemiyordu. Biz de kumullara gittik, böylece arkada kimse olmayacaktı.

Ancak o sırada Rodrick'in kız arkadaşıyla karşılaştık.

Rodrick için biraz üzüldüm. ÖZELLİKLE annem o kızdan bizim fotoğrafımızı çekmesini istediğinde.

Fotoğrafı Noel kartı olarak kullanabileceğimizden emin değilim çünkü annem fotoğrafta herkesin GÜLÜMSEMESİNİ ister.

Aile fotoğrafı işi halledildikten sonra, plaja geri döndük. Rodrick'in yüzü beş karıştı ama biz çok eğlendik.

Karnımız acıkmıştı ve yemek yemeye hazırdık. Sorun, güvenlik görevlisinin bizi otelden gönderirken oda anahtarlarımızı almış olmasıydı. Bu yüzden hiçbir şeyi ÖDEYEMEZDİK.

Localardaki ailelerden biri, pizza ve patates kızartmalarının birazını bırakmıştı. Biz de kuşlardan öğrendiklerimizi yaptık ve karnımızı doyurduk.

Sonra babam geri dönme vaktimizin geldiğini söyledi. Annem gitmeden önce kumullarda birkaç fotoğraf daha çekmek istedi, biz de oraya gittik.

Ama sanırım şansımızı fazla zorlamışız çünkü bizi tanıyan BİRİLERİYLE karşılaştık.

Aile bizi görür görmez koşmaya başladı, bizi güvenliğe şikâyet edeceklerini biliyordum. Biz de oradan olabildiğince hızlı uzaklaştık.

Bizimkilerin nereye gittiklerini bilmiyorum ama ben PLAJA doğru koştum. Orada bir sürü insan vardı, aralarına karışabilirdim. Ancak bir güvenlik görevlisinin bana doğru koştuğunu görünce, PANİKLEDİM.

Suya koştum ve rüzgâr sörfçülerinin olduğu bölgeye yüzdüm. Rüzgâr sörfünün nasıl kullanılacağı konusunda HİÇBİR fikrim yoktu ama tek kaçış yolum buydu.

Sörfün üzerine çıktım, yelkeni çektim. Yelken açılır açılmaz da bir anda HAREKET etmeye başladım.

Bu şeyi kullanmak için yelkenin üzerindeki sapı çekmek gerekiyordu. Plajdan uzaklaştığım süre boyunca doğru yolda olduğumu düşündüm.

Derken şiddetli bir rüzgâr esmeye başladı, benim de bindiğim şeyi istediğim tarafa götürecek gücüm yoktu. HIZLA hareket ediyordum ve bu hız giderek artıyordu, ne yapacağımı bilmiyordum.

İleride şamandıralar vardı ve suyu halatlarla bölmüşlerdi. Sapı bütüm gücümle çektim ama halatlardan kaçamadım.

Galiba rüzgâr sörfünün altında bir yüzgeç vardı çünkü halata bir şey takılmıştı. Derken bütün şey devrilip suya girdi.

Sörf tahtasını çevirmeye çalıştım ama dalgalı suda bunu yapmak çok zordu. O sırada bacağıma bir şey sürtündü ve DONAKALDIM.

İki dakika sonra bir YÜZGEÇ göründü, sonra bir tane daha, bir tane daha. Etrafımı sarmışlardı. Bir köpekbalığı sürüsünün öğle yemeği olacağımı düşündüm.

O sırada bunun bir YUNUS sürüsü olduğunu fark ettim. O kadar mutlu olmuştum ki oraya nasıl geldiğimi unutmuştum.

Ancak yanıma bir güvenlik teknesi yanaşınca, gerçeğe döndüm.

Rüzgâr sörfünden vazgeçip kıyıya doğru yüzdüm. Ancak plaj birkaç dakika öncesine göre çok daha az KALABALIKTI.

Bunun NEDENİNİ oraya varınca anladım. Yanlışlıkla VAHŞİ YAKA'ya geçmiştim. Oradakiler de özel kumsalda elinde fotoğraf makinesiyle bir çocuk gördüklerine sevinmemişlerdi hiç.

Şimdi her taraftan üzerime güvenlik görevlileri geliyordu, ben de tabanları yağlayıp kaçmaya çalıştım. Peşimdekiler yalnızca güvenlik görevlileri değildi. GÜNEŞLENENLER de vardı.

Kumların üzerinde havuza doğru koştum. Bu, BİZİM taraftaki havuza çok benziyordu ama içinde SU vardı.

Arkamda bir insan sürüsü vardı. Ben de taş duvarın üzerinden atladım ve çalıların arasına gizlendim.

Diğer tarafa geçtiğimde, kurtulduğumu düşündüm. Ama o sırada karşıma bir duvar çıktı.

Duvarın bu tarafında bir DELİK vardı. Diğer tarafta kimin olduğuna inanamazsınız.

Ailemin dikkatini çekmeyi başardım ve onlara yardıma ihtiyacım olduğunu söyledim.

Sonra tahtayı gevşetmek için parmağımı deliğe soktum. Babam diğer taraftan itti ve duvarda bir aralık oluştu. Ama benim geçebileceğim kadar geniş değildi.

Güvenlik görevlilerinin çalılıkların diğer tarafında telsizleriyle konuştuklarını duyabiliyordum. Beni bulmaları AN meselesiydi.

Ben de duvara tırmanmayı denedim ama bir türlü yapamadım. Sonra Rodrick'in kafasını yukarıdan uzattığını gördüm. Elini uzattı, ben de zıplayıp tuttum. Beni çekmeye başladı. Başaracağımı düşündüm.

Ama o sırada yedi bacaklı bir ÖRÜMCEK Rodrick'in bornozundan çıkıp benim kolumdan aşağı inince, Rodrick'in elini bıraktım.

Yere düştüğümde işimin bittiğini sandım. Ama sonra duvar yıkılmaya başladı. Sakin Yaka'dan akın edenlerin ayaklarının altında ezilmediğim için şanslıydım.

Bu kargaşadan faydalandık ve çıkışa yöneldik. Otelin bu tarafında bir güvenlik istasyonu vardı ve güvenlik görevlilerinin yanından geçip gidebilmemizin tek nedeni, Vahşi Yaka'da yaşanan çılgınca kaostu.

Otelden çıkar çıkmaz bir taksiyi durdurduk ve sürücüden bizi havalanına götürmesini istedik.

Uçakta dönerken de türbülansa denk geldik ama yaşadığımız ONCA şeyden sonra, birazcık hava sarsıntısı umurumda olmadı.

Pazar

Eve döneli birkaç gün oldu. Annem hâlâ fotoğraf albümü üzerinde çalışıyor. Resimlere bakan, bizim harika vakit geçirdiğimizi düşünür.

Ancak bir daha asla o otele GİTME şansımız yok. Rowley'ye Noel tatilimi nerede geçirdiğimi göstermek için otelin web sayfasına girdim. Anasayfada bizim ailenin kocaman bir fotoğrafı vardı.

Üzerinde yazan sözcükleri okuyamadım ama genel olarak fikir sahibi olduğumu söyleyebilirim.

TEŞEKKÜRLER

Abrams'taki herkese, özellikle on ikinci kitabı da ilk kitap kadar önemseyen Charlie Kochman'a teşekkürler. Michael Jacobs, Andrew Smith, Chad W. Beckerman, Susan Van Metre, Liz Fithian, Carmen Alvarez, Melanie Chang, Amy Vreeland, Samantha Hoback, Alison Gervais, Elisa Garcia ve Josh Berlowitz'e kocaman teşekkürler.
Jason Wells ve Veronica Wasserman'a, dostluğunuz için teşekkürler.
Kim Ku'ya, Wimpy Kid tasarımında yeni bir sayfa açtığı için teşekkürler.
Bütün Wimpy Kid ekibine; Shaelyn Germain, Anna Cesary, Vanessa Jedrej'e teşekkürler. Deb Sundin ve An Unlikely Story'deki kadroya teşekkürler.
Rich Carr ve Andrea Lucey'e destekleri ve dostlukları için teşekkürler.
Paul Sennott'a yardımları için teşekkürler.
Jess Bralier'a yazarlığa başlamam konusundaki akıl hocalığı için teşekkürler.
Hollywood'daki herkese, Sylvie Rabineau, Keith Fleer, Nina Jacobson, Brad Simpson, Elizabeth Gabler, David Bowers ve Greg Mooradian da dahil olmak üzere teşekkürler.

YAZAR HAKKINDA

Jeff Kinney, *New York Times* çok satanlar listesinde defalarca 1 numaraya yükselmiş çocuk kitapları yazarıdır. *Saftirik Greg'in Günlüğü* serisiyle altı kere Nickelodeon Kids "Choice Award" en sevilen kitap ödülünü kazandı. *Time* dergisi tarafından Dünyanın En Etkili 100 Kişisi'nden biri seçildi. Kendisi aynı zamanda *Time* dergisinin seçtiği en iyi 50 web sitesinden biri olan Poptropica.com'un yaratıcısıdır. Çocukluğu Washington D.C.'de geçen yazar 1995 yılında New England'a taşındı. Halen güney Massachusetts'te eşi ve iki oğluyla birlikte yaşıyor. Burada An Unlikely Story adında bir kitapçıları var.